D0918161

DU MÊME AUTEUR

LE POIDS DES SECRETS

Tsubaki, Leméac / Actes Sud, 1999 ; Babel n° 712, 2005.

Hamaguri, Leméac / Actes Sud, 2000 ; Babel n° 783, 2007.

Tsubame, Leméac / Actes Sud, 2001 ; Babel n° 848, 2007.

Wasurenagusa, Leméac / Actes Sud, 2003 ; Babel n° 925, 2008.

Hotaru, Leméac / Actes Sud, 2004.

Mitsuba, Leméac / Actes Sud, 2006.

ZAKURO

Leméac Éditeur remercie le ministère du Patrimoine canadien, le Conseil des arts du Canada, la Société de développement des entreprises culturelles du Québec (SODEC) et le Programme de crédit d'impôt pour l'édition de livres du Québec (Gestion SODEC) du soutien accordé à son programme de publication.

ISBN 978-2-7609-2828-2

ISBN 978-2-7427-7922-2

Imprimé au Canada

Aki Shimazaki

ZAKURO

roman

LEMÉAC / ACTES SUD

Nous sommes dimanche. Il fait beau. Dans le jardin, les chrysanthèmes sont en pleine floraison. Jaune, rose, blanc, orange… Les fleurs brillent, éclairées par la lumière du soleil. Les moineaux gazouillent dans l'arbre du *zakuro**, dont les fruits sont mûrs. Le ciel est limpide, l'air pur. Nous sommes à la mi-automne, ma saison favorite.

On vient de prendre le repas du midi. Il est rendu deux heures. Bientôt, j'irai chercher ma mère, qui habite dans une maison pour les gens atteints de démence sénile. Pour le moment, je me repose dans le salon en lisant le journal. À côté, mon neveu Satoshi fait ses devoirs. Devant lui sont posés un atlas du monde, un livre de géographie et une boîte de crayons de couleur. Il lit le livre, la tête baissée. Un instant, mon regard se fixe

* Les mots en italique sont regroupés dans un glossaire en fin d'ouvrage.

sur le petit grain de beauté au bas de sa nuque. Tout noir, son contour se détache nettement sur la peau brun pâle.

La maison est silencieuse. Ma femme est sortie faire des courses avec ma sœur, mère de Satoshi. Ce soir, toute ma famille se réunira chez nous : mon petit frère, mes deux petites sœurs, leurs enfants et ma mère. «Nous» signifie ma femme et moi.

Nous n'avons pas d'enfants, mais cela ne nous attriste pas, car mes neveux et nièces nous rendent visite de temps en temps, surtout Satoshi. Ma femme, enfant unique, les chérit comme s'ils étaient les siens. En fait, je suis beaucoup plus âgé que mon frère et mes sœurs et je traite leurs enfants comme s'ils étaient mes petits-enfants. D'ailleurs, les enfants ne connaissent pas leurs grands-pères. Le père de ma femme est mort quand elle était encore en bas âge. Et quant à mon père, il a disparu en Sibérie après la fin de la guerre, en 1945.

À la une du journal, on relate la rencontre entre le premier ministre Satô et le président Nixon. Il s'agit de la réduction de nos exportations de produits textiles : laine et fibres synthétiques. Les deux pays se sont enfin entendus pour rouvrir les négociations sur cette question, qui étaient restées en suspens depuis plus d'un an. Nixon force à reprendre les négociations parce que c'est sa promesse électorale la plus importante.

Je travaille dans une grande compagnie d'import-export. Le volume d'exportation de ces produits n'est pas négligeable et je m'inquiète des conséquences politiques et économiques qui pourraient survenir si le Japon cédait à la demande des États-Unis. Notre premier ministre envisage parallèlement de récupérer Okinawa. Je me demande comment il pourra résoudre ces deux problèmes sans essuyer la colère des gens de l'industrie textile. Je pense un moment à mon ami Kôji, qui s'est rendu à Washington la semaine dernière. C'est un journaliste indépendant. Je voudrais bien discuter de tout cela avec lui.

Une brise agréable entre dans le salon. Je tourne la tête vers le jardin, où les fleurs de chrysanthèmes s'agitent légèrement. Les moineaux chantent dans l'arbre du *zakuro*. En apercevant ces fruits tout rouges, je me souviens qu'à l'ancienne maison de mes parents il y avait aussi un tel arbre. Je bâille. Je n'ai plus envie de lire le journal. Satoshi lit toujours son livre de géographie. Je m'assoupis en regardant le grain de beauté sur sa nuque.

Ma mère descend dans le jardin en tenant une boîte de carton ondulé. Elle la pose au sol et en sort un blouson long pour homme. Ensuite, elle le suspend à un cintre et accroche celui-ci sur une de ces perches de bambou qu'on utilise pour sécher le linge. Dans la boîte se trouvent aussi un chandail, un parka, des pantalons, des ceintures... Ce sont les vêtements de mon père que ma mère garde précieusement depuis trente ans. Chaque année, ma mère les aère deux fois, au printemps et en automne. Le soleil commence à chauffer. Elle continue à suspendre le reste des vêtements. Ses cheveux blancs brillent, enveloppés par les rayons du soleil.

Satoshi dessine une voiture avec un crayon rouge. Il tourne la tête vers ma mère qui apporte une longue gaule de bambou au pied de l'arbre du *zakuro*. Il me demande :

— Qu'est-ce que grand-maman va faire avec le bâton?

— Elle va cueillir des fruits du *zakuro*.

Il dit, très sérieux :

— Je peux l'aider.

Je souris, car l'arbre est trop haut pour lui, qui n'a que trois ans.

— Non. Elle en est capable.

Il demande, l'air curieux :

— Comment ça ?

Je lui explique que le bout de la gaule de bambou est coupé en deux. La crevasse est fixée par un petit morceau de bâton. Pour cueillir un fruit, il suffit de coincer son rameau avec le bout de la gaule et de la tourner jusqu'à ce que le rameau se détache. Satoshi m'écoute, impressionné. Ma mère réussit à en saisir un et à le faire tomber sur le sol.

Satoshi bat des mains :

— Bravo !

Ma mère sourit vers lui et continue ses manœuvres. Une dizaine de fruits tombent ainsi par terre, l'un après l'autre. Elle les ramasse et les met dans la boîte qui contenait les vêtements de mon père. Elle s'approche de nous avec la boîte. Satoshi se lève. Elle nous dit :

— Regardez ! La récolte est bonne cette année.

En observant les fruits, Satoshi s'exclame :

— Toutes leurs bouches sont ouvertes !

Les grains sont tous rouges. Le goût aigre-doux se répand dans ma bouche.

J'avale ma salive. Ma mère en tend un à Satoshi et dit :

— Ton grand-père a aimé ces fruits quand il était jeune.

— C'est vrai?

Satoshi le mange avec appétit. Moi aussi, j'en prends un. Ma mère nous quitte.

Satoshi recommence à dessiner, mais cette fois c'est une carte du monde. Il la dessine en murmurant : «Amérique anglo-saxonne, Amérique latine, Afrique, Océanie, Europe, U.R.S.S. et Asie.» Je suis surpris qu'il connaisse déjà des noms pareils à son âge. Je demande quand même :

— L'Union soviétique est un État. Les monts Oural ne servent-ils pas de frontière entre l'Asie et l'Europe?

— Si, mais il ne s'agit pas des cinq continents. Ici, les zones sont différenciées par le mode de vie ou la race.

Il me montre la page de son livre de géographie qu'il est en train de copier. Je suis mécontent :

— C'est bizarre... Comment peut-on regrouper les Japonais et les Arabes ensemble comme s'ils appartenaient à la même race?

Il m'ignore et se met à colorier l'U.R.S.S. en rouge. La couleur vive de son crayon m'attire. Je la regarde, distrait. Tout à coup, les moineaux pépient à mon oreille.

Je me réveille. Satoshi est toujours à côté de moi. Je vois les crayons de couleur éparpillés sur la table. Le rouge est le plus court.

Je prends son atlas du monde et l'ouvre à la page de l'U.R.S.S. Je vois les lignes du réseau ferroviaire. À partir de Moscou, les chemins de fer s'étendent partout aux quatre points cardinaux, comme une toile d'araignée. L'un d'eux mène à Sverdlovsk située sur l'Oural, la ville prison. D'ici, une ligne s'allonge sur des milliers de kilomètres en traversant la région de Sibérie jusqu'à Vladivostok. Mon regard cherche une ville qui s'appelle Bukačača. C'est ici, dans un camp de travaux forcés, que plusieurs Japonais ont vu mon père au cours de l'été 1947.

Brusquement, Satoshi me demande :

— Je sais que ton père était contremaître d'une entreprise de travaux publics, mais comment était-il ?

Sa question me surprend. C'est la première fois qu'il me pose une question pareille sur son grand-père, qu'il ne connaît que par des photographies. Je réfléchis un moment.

— Pour moi, dis-je, c'était un homme sérieux.

— Comment ça ?

Je raconte qu'il faisait de grands efforts pour les négociations entre son patron et ses subordonnés à propos des salaires et des conditions de travail. Pourtant, le plus difficile pour lui était de licencier les hommes qui ne convenaient pas au métier de *dokata,* lequel exige d'abord la sécurité. En réalité, son patron les avait engagés et mon père devait leur notifier leur renvoi, ce qui n'était pas juste pour lui. Néanmoins, il les persuadait tant bien que mal, et certains licenciés continuaient à le contacter par amitié.

Impressionné, Satoshi dit :

— Il me semble qu'il avait un sens aigu de ses responsabilités.

— En effet. C'était un homme honnête.

Satoshi demande de nouveau :

— Est-il allé à l'université comme toi ?

— Non. Après son école primaire, il a étudié deux ans à l'école préparatoire. Il a suivi des cours du soir, car il travaillait toute la journée.

— Alors, dit Satoshi, il était comme monsieur Tanaka, l'ex-ministre des Finances !

— Ah, c'est vrai ! Autodidacte comme lui.

Il demande :

— Les parents de ton père étaient-ils pauvres comme ceux de monsieur Tanaka ?

— Pas vraiment. L'idée d'aller à l'université ne convenait pas à mon père ; il se contentait de ce qu'il faisait. Après ces deux années d'études, il a été engagé par une entreprise de travaux publics.

Je me tais un moment. Le visage de mon père me revient en mémoire : sa peau était brunie par le soleil et ses cheveux tout le temps coupés à ras. Il avait de gros os. La dernière fois que je l'ai vu, j'avais vingt et un ans et lui, quarante-quatre ans. C'était en 1942. Vingt-huit ans ont passé depuis. Voilà déjà cinq ans que j'ai dépassé l'âge qu'il avait alors.

— Quand même, dit Satoshi, ton père devait être fier de te voir aller à l'université, n'est-ce pas?

— Oui, très fier. J'ai été son orgueil. Lorsque j'étais encore écolier, il s'en vantait auprès de ses amis : «Mon fils est vraiment intelligent! Chaque année, il est choisi comme délégué de la classe. Il deviendra amiral.» Ses vantardises me gênaient.

Je me rappelle l'image de mon père pleinement satisfait en examinant mon carnet de notes. Il me répétait : «Bien, très bien!» Après quoi, il ajoutait chaque fois : «Tu dois alors aider tes camarades qui éprouvent des difficultés en classe. J'espère que tu es un bon exemple pour eux.»

Satoshi sourit :

— Tu n'es jamais devenu amiral.

— Non, je suis seulement devenu cadre de compagnie, ce que mon père n'a pas appris. En fait, il ne se préoccupait pas beaucoup de ce que j'étudiais à l'université et il ne m'a pas conseillé quel métier choisir.

Satoshi m'interrompt :

— Quelle chance! Mon père me surveille tout le temps en me posant plein de questions sur mes études. Il veut que j'aille à l'université, comme lui, mais ce n'est pas mon intention.

Sa remarque pique ma curiosité :

— Que souhaites-tu devenir, alors?

— Cuisinier!

— Cuisinier! C'est très bien, Satoshi!

Il sourit de nouveau. L'expression de ses yeux ressemble un peu à celle de mon père.

Je songe à mon adolescence. Mon père m'a emmené souvent sur un chantier en particulier, où il dirigeait des ouvriers engagés pour la construction d'un tunnel. Ces gens travaillaient fort dans la boue et le ciment, ils étaient couverts de poussière. Mon père me demandait à l'occasion de les aider, et j'ai préparé parfois du thé à leur intention. Naturellement, j'observais sa manière de traiter ces ouvriers et comprenais qu'il avait de bons rapports avec eux. La plupart des hommes étaient saisonniers, venus de la région de Tôhoku ou de Kyûshû. Ils retournaient chez eux pour la saison de plantation du riz et des récoltes. Avant de rentrer dans leurs pays, ils rendaient visite à mon père. Ma mère leur préparait des *onigiri* afin qu'ils aient de quoi manger dans le train qui les ramenait là-bas.

Je dis à Satoshi :

— À vrai dire, mon père ne pensait pas qu'on mérite l'accès à l'enseignement supérieur seulement parce qu'on a obtenu d'excellentes notes. Il me disait souvent : «Je connais des gens qui sont stupides même s'ils ont réussi leurs études universitaires. Ces gens sont plus stupides que les stupides sans instruction !»

Cela fait rire mon neveu :

— Ton père a raison ! Sa mentalité me plaît beaucoup !

Je ris à mon tour et j'ajoute :

— À propos, tu as quelque chose en commun avec lui.

Ses yeux brillent de curiosité :

— Qu'est-ce que c'est?

— Le grain de beauté sur ta nuque.

Surpris, il touche sa nuque :

— Je ne savais pas qu'il était héréditaire !

Je me lève en souriant. C'est l'heure d'aller chercher ma mère.

Ma mère a soixante-huit ans cette année.

Ça fait quatre ans qu'elle est atteinte de démence. Le premier symptôme de sa maladie fut une migraine inhabituelle. Je l'ai aussitôt emmenée à l'hôpital, mais on n'a trouvé aucune anomalie cérébrale. Puisqu'elle n'en a plus souffert depuis, elle n'est pas retournée voir le médecin.

Pourtant, à mesure que le temps passait, son comportement est devenu bizarre. Elle oubliait constamment ses affaires quelque part, même la clé de la maison. Pire encore, elle s'est mise à dire à nos voisins : «Ma belle-fille cache mes affaires ! Elle est méchante !» Ma femme était embarrassée. Le médecin nous a dit qu'il n'y avait pas de traitement pour cette maladie et que ma mère pouvait encore habiter chez nous. Cela nous a troublés. Nous ne savions pas comment la traiter. Alors, nous avons lu des livres médicaux à ce sujet.

L'année dernière, le poste de police du quartier m'a un jour prévenu qu'on y gardait ma mère : elle ne se souvenait plus où se trouvait sa maison, bien qu'elle portât avec elle son carnet d'adresses et de numéros de téléphone.

Lorsque j'y suis arrivé, elle m'a dit en souriant : « J'attends Banzô-*san*. Où est-il? » J'ai été très étonné. Banzô est le prénom de mon père. J'ai gardé mon sang-froid et lui ai dit que Banzô-*san* ne viendrait pas la chercher parce qu'il était parti en voyage d'affaires en Mandchourie. Elle l'a cru et m'a suivi à la maison sans problème. J'en ai eu des sueurs froides.

Depuis lors, son état s'est aggravé plus vite qu'avant. J'ai demandé conseil à son médecin, qui m'a recommandé une maison pour les gens atteints comme elle. Je l'ai visitée et j'ai décidé d'y placer ma mère car le personnel me semblait très sympathique. Cependant, pour la convaincre d'y aller, j'ai eu recours au même mensonge : c'était à cette maison que Banzô-*san* viendrait la chercher. À ma surprise, elle a accepté sans hésitation. J'ai expliqué au personnel de la maison que mon père était mort en Sibérie mais que ma mère croyait qu'il était parti en voyage d'affaires en Mandchourie, pays qui n'existe plus comme tel aujourd'hui.

Depuis quelque temps, la communication avec elle devient de plus en plus difficile. D'ailleurs, elle ne reconnaît plus les membres de sa famille. Nous essayons quand même de lui répéter chaque fois qui nous sommes. Par contre, elle se souvient très bien de l'époque où elle a rencontré mon père.

En fait, jusqu'à ce qu'elle tombe malade, elle croyait à l'existence de mon père en Sibérie et à son retour au Japon, alors que j'avais abandonné cet espoir depuis des années. Je lui disais que ce n'était pas réaliste du tout de l'attendre si longtemps sans jamais recevoir de ses nouvelles. Elle insistait : « Tsuyoshi, mon intuition me dit que ton père est toujours vivant. Quand je verrai son corps de mes propres yeux, alors j'accepterai la réalité de sa mort. Jusqu'à cet instant, je ne m'y résignerai jamais. »

Ma mère avait quarante-trois ans quand mon père a disparu en Sibérie, en 1945. Elle est pratiquement veuve depuis. Sa vie n'a pas été facile. Pourtant, comme elle était active et dotée d'un caractère ferme, je n'avais pas envisagé qu'elle devienne gâteuse si jeune. Quel dommage ! Je souhaitais qu'elle mène une heureuse vie, entourée de ses petits-enfants. Je ne sais pas combien de temps elle vivra encore, mais j'espère qu'elle pourra mourir sans trop de souffrances.

En 1942, mon père est parti pour la Mandchourie. J'étais encore étudiant universitaire. Mon frère avait dix ans et mes sœurs, sept et deux ans. Mon père était muté dans cette colonie japonaise et il était censé demeurer trois ans dans la ville de Jiamusi, à trois cents kilomètres au nord de Harbin. Sauf moi, toute ma famille l'y a suivi. Je suis resté à Tokyo pour continuer mes études.

Je me souviens très bien du jour où ils sont partis. Je les ai accompagnés à la gare de Tokyo. C'était en automne. Ce matin-là, mon père m'a fait cueillir des fruits du *zakuro* dans le jardin de notre maison. C'était pour mon frère et mes sœurs, afin qu'ils les mangent dans le train.

Mon père m'écrivait régulièrement de Mandchourie. En fait, quand j'ai reçu sa première lettre, j'ai été étonné que ce ne soit pas ma mère qui écrive. J'avais fermement cru qu'il avait la plume paresseuse. Son écriture était correcte et claire et cela m'a impressionné. Je lui ai répondu tout de suite. Ma famille s'était installée sans problèmes à Jiamusi et mon père s'est vite remis au travail.

Une fois, il m'a envoyé une carte postale de Harbin, où il s'était rendu pour affaires. Il a écrit : « Harbin me plaît beaucoup ! C'est une véritable ville cosmopolite. Des Russes, des Japonais et autres étrangers vivent ensemble avec les Chinois. » Il souhaitait que je puisse un jour visiter cette ville qu'on appelait « Paris d'Orient » ou « Moscou d'Orient ».

Deux ans après le départ de ma famille, j'ai dû abandonner mes études : on m'a envoyé aux Philippines en tant que soldat. Notre correspondance a été interrompue à ce moment-là.

Au début de 1945, ma mère, mon frère et mes sœurs sont revenus dans la métropole sans mon père, qui était censé quitter la Mandchourie au mois de septembre de la même année. Au lieu de retourner chez eux, à Tokyo, ils se sont rendus chez les parents de mon père, qui habitaient à la campagne, dans la préfecture de Saïtama. C'était pour échapper aux bombardements de la ville.

Quant à moi, je suis revenu à Tokyo quelques mois après la fin de la guerre. C'était un miracle que je sois encore vivant. J'avais été au front et la plupart de mes camarades avaient été tués dans l'île de Luçon. Ma mère a pleuré de joie en me revoyant. «Quel bonheur!» Mon frère et mes sœurs avaient tellement grandi que je ne les ai pas reconnus tout de suite. J'ai demandé à ma mère où était mon père. Elle m'a dit attendre son retour de Mandchourie, qui était alors sous le contrôle de l'Union soviétique. Elle n'avait pas eu de nouvelles de lui depuis plus de trois mois. Cela m'a semblé bizarre. J'ai commencé à m'inquiéter.

Bientôt, on a appris que les soldats japonais avaient été déportés dans ce pays communiste, notamment en Sibérie. Nous étions furieux : «Comment une chose pareille a-t-elle pu se produire après la fin de la guerre?» Évidemment, Staline avait désavoué la déclaration de Potsdam selon laquelle son pays devait renvoyer tous les Japonais dans leur pays.

Je me demandais où était alors mon père. Ma mère croyait qu'il travaillait toujours en Mandchourie. À la fin de cette année-là, la compagnie nous a enfin appris qu'il avait aussi été déporté en Sibérie. «Comment ça? Il n'est pas soldat.» Ma mère est tombée en état de choc.

À cette époque, le gouvernement du Japon était sous le contrôle du G.H.Q. Le Japon l'a supplié de faire pression sur l'Union soviétique pour qu'elle respecte l'accord de Potsdam. Cette entente soviéto-américaine prévoyait le rapatriement des Japonais et l'Union soviétique devait renvoyer au Japon cinq milliers de détenus par mois, en bateau.

Un premier navire, parti de Nakhodka, est arrivé à Maïzuru avec le nombre prévu de détenus. Mon père n'était pas parmi eux. Très déçus, nous avons attendu les bateaux suivants. Mais l'Union soviétique a soudainement refusé de renvoyer le reste des détenus. Cette nouvelle nous a bouleversés.

Au bout de quelque temps, une manifestation a été organisée par les familles des détenus. Elles se sont rassemblées devant la délégation de l'U.R.S.S. à Tokyo pour demander aux autorités soviétiques la relance immédiate du processus de rapatriement de tous les Japonais encore là-bas. Ma mère et moi y avons aussi participé. Heureusement, cette manifestation a attiré l'attention des médias internationaux et l'Union soviétique a dû recommencer les opérations de rapatriement. Chaque fois qu'un bateau arrivait au port de Maïzuru, nous espérions retrouver notre père, mais il ne s'est jamais montré.

Le rapatriement s'est terminé en 1956. Néanmoins, nous n'avons jamais perdu espoir et nous avons continué à contacter le ministère de la Santé et des Affaires sociales qui administrait les dossiers des rapatriés. Et chaque fois, leur réponse était la même : «Disparu». Nous avons envoyé des annonces aux journaux et à la radio pour obtenir des informations sur mon père. Des personnes nous ont répondu qu'elles l'avaient vu dans un camp de Bukačača, au cours de l'été 1947.

Plus de dix ans se sont écoulés depuis la disparition de mon père sans qu'aucune autre nouvelle de lui ne nous parvienne. Je me suis mis à penser qu'il était mort en Sibérie, comme des dizaines de milliers de soldats japonais. Quant à ma mère, bien sûr, elle n'a jamais renoncé à croire qu'il était vivant.

En 1960, le gouvernement du Japon a demandé à ma mère de reconnaître le décès de mon père. Il s'agissait d'effacer son nom du *koseki*. Elle a refusé net en disant : «On n'a jamais appris la nouvelle de sa mort. Il est toujours vivant, quelque part en Sibérie!»

C'est en 1968 que mon ami Kôji a rencontré un homme qui servait d'interprète pour un diplomate russe. Il m'a dit de contacter les autorités soviétiques au sujet de mon père. Le Japon et l'Union soviétique avaient rétabli leurs relations diplomatiques en 1956.

À cette époque, ma mère était déjà malade et j'étais devenu son curateur. Alors j'ai préparé une requête au sujet de mon père et l'ai confiée à Kôji. Quelques mois plus tard, j'ai été convoqué par l'ambassade de l'U.R.S.S. Selon eux, mon père était décédé au mois de février 1946, dans un camp d'Irkutsk, situé tout près du lac Bajkal ; il était mort d'une maladie de poitrine et son corps avait été enterré dans une fosse commune.

Ce rapport me laissait sceptique, surtout le passage sur l'endroit de sa mort. Mais j'ai néanmoins décidé, profitant de l'occasion, de déclarer son décès au gouvernement japonais. Alors le nom de mon père,

Banzô Toda, a été effacé de son *koseki*. Puisque ma mère ne comprenait plus rien même à nos simples conversations, je ne lui ai rien dit à ce propos.

À un moment donné, je parlais avec Kôji de ce rapport, tout en ignorant ma mère qui se trouvait alors dans la même pièce que nous. Tout à coup, elle nous a lancé : « Quoi ? Mon mari que les gens ont vu à Bukačača en 1947 était un fantôme ? Que c'est drôle ! L'explication des Soviétiques, quelle qu'elle soit, n'est qu'une échappatoire ! Si c'était bien la vérité, pourquoi ils ne l'avaient pas dit au début ? De toute façon, qui pourrait croire les paroles des gens de Staline ? N'oublie pas que les Russes ont envahi la Mandchourie en violant le pacte de non-agression signé entre le Japon et leur pays ! » Kôji la regardait, bouche bée. Il m'a taquiné : « Son esprit est normal ! » J'étais incapable de rire. J'ai regretté un moment d'avoir effacé le nom de mon père de son *koseki* sans en parler à ma mère.

Aujourd'hui, tous les membres de ma famille sont venus dîner chez nous. On est quatorze au total : neuf adultes et cinq enfants.

Les adultes parlent de politique, d'éducation et d'actualités en buvant du saké ou de la bière. Les enfants s'amusent en se racontant des histoires drôles. La soirée est bien animée, comme d'habitude. Ma mère nous regarde sans dire un mot, d'un air calme.

Après le dîner, nous prenons le thé au salon. Au bout de quelques instants, ma mère nous dit, en sortant une enveloppe de sa poche : «J'ai quelque chose à vous montrer.» Cela nous étonne : c'est rare maintenant qu'elle parle d'elle-même.

En fait, c'est une vieille photo de mes parents, qui date de l'époque où ils se sont rencontrés. La photo est en noir et blanc. Naturellement, elle a jauni avec le temps, mais l'image est assez claire. Ma mère est vêtue d'une chemise et d'une longue jupe. Mon père porte un complet d'été. C'est une photo que ma mère me montrait souvent quand j'étais jeune. Elle me disait que tous leurs vêtements étaient blancs.

Les enfants, qui voient cette photo pour la première fois, sont très curieux. À ma surprise, ma mère nous dit : «Banzo-*san* avait vingt-trois ans, et moi dix-huit. Mon oncle lui avait prêté ce complet. C'était à l'été 1920.» C'est exactement ce qu'elle me répétait autrefois. Sur la photo, mon père paraît gêné, alors que ma mère a le sourire aux lèvres. Satoshi demande à sa grand-mère : «C'est vraiment toi?» Ma mère répond, sérieuse : «Bien sûr que oui!» Il dit : «J'aimerais bien rencontrer une fille aussi jolie que toi!» Tout le monde éclate de rire.

Ma mère vient d'une famille traditionnelle assez riche. Son père occupait un poste important au sein de l'administration du ministère de l'Éducation nationale. C'était un homme orgueilleux, selon ma mère, très fier d'être issu d'un clan sélect. Ses trois enfants, un garçon et deux filles, ont été élevés avec rigueur. Ma mère était la plus jeune. Ils ont été inscrits aux écoles réservées aux enfants de familles traditionnelles comme eux. Ses parents voulaient que leurs filles deviennent enseignantes.

À dix-huit ans, encore étudiante, ma mère est tombée amoureuse de mon père. Elle l'a avoué à ses parents avant qu'ils ne lui proposent un *miaï*. Elle a tenté de les convaincre que mon père était quelqu'un de responsable. Ils l'ont écoutée, mais dès qu'ils ont appris qu'il était *dokata*, ils se sont fâchés contre elle et ont refusé net de voir mon père. Son père a même crié à ma mère : «Tu seras exclue de notre famille si tu te maries avec lui!»

Autour de ma mère, personne ne voulait accepter ce mariage, sauf un de ses oncles du côté de sa mère, qui tenait un studio de photographie. Il a dit à ma mère de quitter la maison et de rester avec mon père. Elle a arrêté ses études et a épousé mon père.

Ma mère n'a pas été exclue de sa famille, mais elle rendait rarement visite à ses parents. Je n'ai pas joué avec mes cousins, les enfants de mon oncle et de mes tantes. En tout cas, il me semblait que mes parents vivaient en bonne harmonie et nous, leurs enfants, étions heureux avec eux.

Je dis aux petits-enfants de ma mère :

— Quand votre grand-mère était jeune, elle ressemblait à Yoshiko Okada.

Satoshi me demande, l'air étonné :

— Yoshiko? C'est le même prénom que notre grand-mère. Qui est-ce?

— C'est une célèbre actrice de l'époque. Elle était vraiment charmante. Son visage était beau et mystérieux. En fait, ma mère est née la même année qu'elle, en 1902.

Curieux, il poursuit :

— Est-elle encore vivante?

— Oui. Elle vit à Moscou.

Tous les enfants s'exclament :

— À Moscou! Comment ça?

Je raconte son histoire et ils m'écoutent, fascinés.

Cette actrice s'est expatriée, à l'âge de trente-six ans, en Union soviétique avec son amant, metteur en scène et communiste. Puisque cet amant était marié et que sa femme était malade, l'histoire de cet exil a fait scandale. En 1952, un politicien japonais de passage à Moscou a retrouvé cette actrice. Son amant était mort depuis longtemps, sans doute tué en prison.

Satoshi m'interrompt :

— Qu'est-ce qu'elle fait là-bas?

— Elle est présentatrice à la chaîne de radio japonaise de Moscou.

— Elle ne revient pas au Japon?

Je réponds :

— On dit qu'elle le souhaite maintenant, mais l'Union soviétique est toujours communiste. Politiquement, ce ne sera pas facile. Certains politiciens japonais tentent de l'aider à rentrer au Japon.

Brusquement, ma mère s'écrie :

— C'est ridicule !

Nous la regardons, ébahis. « Elle réagit ! » Elle continue :

— Cette actrice a quitté le Japon d'elle-même. Pourquoi notre gouvernement doit-il l'aider à revenir ? En Union soviétique, il reste encore tant de Japonais, comme mon mari, qui sont toujours incapables d'en sortir !

Satoshi s'exclame :

— Tu as tout à fait raison, grand-mère !

En effet, les paroles de ma mère sont tellement sensées que je crois un moment qu'elle a de nouveau toute sa tête. J'attends qu'elle dise encore quelque chose. Malheureusement, elle se tait aussitôt. Je me demande : « Dans sa tête, où est mon père maintenant ? En Mandchourie ou en Sibérie ? »

À la fin de la soirée, je décide de prendre une photo de famille. J'installe l'appareil au fond du salon. D'abord, je laisse ma mère s'asseoir au milieu du canapé et demande à tout le monde de se placer autour d'elle. Tsuyoshi nous dit : « Disons *chîzu* ! » Quand je regarde dans l'objectif, ma mère fixe l'appareil, les yeux écarquillés, alors que tout le monde sourit.

Il est dix heures du soir. Je viens de reconduire ma mère à sa résidence. Tout le monde est parti. La maison se fait à nouveau tranquille.

Ma femme lit un livre au salon. J'aperçois sur la couverture plusieurs jolies fleurs rouges. Elle me dit que l'ouvrage traite du langage des fleurs et que le *zakuro* est le symbole de la sottise. Je souris : « Une si belle fleur serait le symbole de la sottise ? »

J'entre dans mon bureau avec une tasse de thé. Après un moment de détente, je prendrai une douche et me coucherai. Demain, c'est lundi, je dois me lever tôt comme d'habitude. En début de matinée, je dois participer à une réunion importante. C'est à propos d'un employé mort récemment, au cours d'un voyage d'affaires en Europe, victime d'une crise cardiaque. Il n'avait que quarante-cinq ans, à peu près l'âge de mon père quand il est parti en Mandchourie. Notre compagnie s'est occupée de ses funérailles, maintenant on doit s'entendre sur l'indemnité à payer à sa famille.

J'ai été bouleversé en apprenant que mon adjoint avait imposé à cet employé des voyages d'affaires déraisonnables. L'autre jour, le beau-père du défunt est venu à la compagnie dire que son beau-fils avait succombé à un excès de travail. Il a crié devant nous qu'il voulait même engager un procès contre la compagnie. Irrité, l'un de nos cadres l'a menacé de fermer l'accès à la compagnie à toute la famille du défunt. De fait, une dizaine de membres de cette famille travaillent dans notre compagnie ou d'autres affiliées à la nôtre. Les paroles de mon collègue m'ont indigné. Je lui ai dit : « Il ne faut pas prendre le chemin des tribunaux pour défendre l'honneur de la société. Il ne faut pas non plus menacer ainsi la famille du défunt, cet homme a beaucoup contribué au développement de notre compagnie. » Voilà exactement le conseil que mon père m'aurait donné s'il avait été là.

Je plains cette famille, surtout les enfants, deux adolescents. Le garçon est lycéen et la fille, collégienne comme Satoshi. Je les ai rencontrés aux funérailles. En regardant le visage du garçon, marqué par la douleur d'avoir perdu son père, je me rappelais le jour où j'ai appris que mon père avait été déporté en Sibérie. Sur-le-champ, j'ai décidé d'aider ma mère à s'occuper de mon frère et de mes sœurs encore si jeunes.

Ce fut l'époque la plus dure de ma vie. En revenant des Philippines, j'ai été troublé de ne pas savoir comment recommencer ma vie. La maison de mes parents avait disparu sous les bombardements américains. Il était hors de question que je puisse retourner à l'université.

D'abord, il fallait trouver un endroit où ma famille pourrait vivre réunie. Depuis leur retour de Mandchourie, ma mère, mon frère et mes sœurs logeaient chez les parents de mon père, à la campagne. En faisant n'importe quoi pour gagner de l'argent, j'ai réussi à louer une vieille maison à Tokyo, où toute la famille est retournée. Ma mère a déniché un emploi de blanchisseuse dans un hôpital. Mon petit frère a commencé à distribuer les journaux tous les matins, avant d'aller à l'école. Mes petites sœurs gardaient la maison en faisant le ménage et la cuisine. Rapidement, j'ai obtenu un emploi dans une compagnie d'import-export, où je suis maintenant chef adjoint de la division des affaires étrangères. Quelques années plus tard, j'ai épousé ma femme, maîtresse de cérémonie du thé.

Au début, mon travail était exigeant : je devais faire beaucoup de voyages d'affaires, non seulement à l'intérieur, mais aussi à l'étranger. Trop occupé, je n'avais même pas songé à avoir des enfants. Je me sentais responsable de mon frère et de mes sœurs. Il fallait les aider jusqu'à ce qu'ils trouvent un emploi qui leur assure une indépendance.

Mon frère est devenu ingénieur et ma première sœur, infirmière. Quand ma deuxième sœur a terminé son lycée et commencé à travailler à la banque, j'ai été rassuré comme si j'avais rempli le rôle de mon père à sa place. Nos grands-parents de Saïtama, parents de mon père, étaient très fiers de nous. En fait, tout a été facilité par le soutien de ma femme. Ma gratitude pour elle est énorme.

Je pense de nouveau aux enfants de notre employé défunt. Leur vie ne sera pas facile. Pourtant, la vie est ainsi : chacun doit se débrouiller lui-même selon sa situation, comme je l'ai fait. Bien sûr, en tant que cadre, je voudrais faire de mon mieux pour aider cette famille. Si mon père était à ma place, je me demande quelle sorte de mesures il prendrait pour eux.

J'entends le téléphone sonner. Ma femme frappe à la porte :

— Mon chéri, c'est ton ami, Kôji.

Je demande :

— Il m'appelle d'où? Des États-Unis?

— Non, il est déjà de retour à Tokyo.

«Déjà?» Je me lève en pensant que j'aurais pu l'inviter chez nous ce soir. Nous le traitons comme un membre de la famille et Satoshi l'aime beaucoup.

J'attends Kôji au bar qu'il a choisi pour notre rendez-vous. Il est situé près de la station de métro Kanda, où nous nous rencontrons à l'occasion. Assis au comptoir, je bois un cognac. Devant moi, le barman prépare un cocktail d'une main experte. Il est passé huit heures. Kôji ne s'est pas montré encore.

Ce soir, j'ai quitté mon bureau à sept heures. La journée m'a fatigué. Néanmoins, je me sens bien, soulagé du résultat de la réunion de ce matin à propos de l'employé défunt. En effet, j'ai insisté pour que la compagnie trouve une solution satisfaisante aux yeux de la famille. Il s'agit d'une indemnité raisonnable, surtout destinée aux enfants qui doivent terminer leurs études, selon leurs capacités. Certains cadres n'étaient pas d'accord avec moi, mais ils ont finalement accepté ma proposition parce que j'ai défendu l'honneur de la compagnie. Je criais devant mes collègues, comme mon père l'aurait fait. Ce fut une sensation étrange pour moi.

Je vois le barman parler avec un client assis au comptoir. En les regardant, je me rappelle l'époque où j'ai rencontré Kôji pour la première fois.

C'était à New York, en 1955. La succursale de notre compagnie et le bureau de son journal N. se trouvaient dans le même bâtiment, une tour au cœur de Manhattan, qui existe toujours. J'habitais dans un quartier de la banlieue, où il y avait un seul restaurant japonais. Le mot sushi n'était pas encore répandu aux États-Unis. Pour nous qui devions vivre longtemps à l'étranger, la présence des restaurants japonais était précieuse. Naturellement, je fréquentais ce lieu comme tous les Japonais qui vivaient dans le quartier.

Un jour, j'y suis allé dîner avec ma femme et j'ai vu Kôji manger seul au comptoir. Le chef lui servait des *nigiri* en bavardant avec lui. Toutes les tables étaient occupées. Il ne restait que quelques places au comptoir. Nous nous sommes installés à côté de Kôji, qui nous a salués amicalement. Une serveuse nous a apporté des *oshibori* et des tasses de thé. Nous observions les gros morceaux de poisson exposés devant nous. À part le chef, il y avait un autre cuisinier derrière le comptoir. Lorsque je lui ai demandé quel poisson était le plus frais ce soir-là, j'ai entendu le mot «Mandchourie» à travers la conversation que Kôji et le chef poursuivaient. Je les ai interrompus en m'excusant de mon indiscrétion :

— Vous étiez en Mandchourie?

Kôji m'a répondu :

— Oui. J'ai vécu deux ans à Harbin, entre 1936 et 1938. J'étudiais le russe à l'Académie Harbin. J'ai adoré cette ville, très jolie et cosmopolite!

Il n'avait pas l'air agacé par mon intervention. Au contraire, il parlait d'un ton sympathique. En l'écoutant, je me suis rappelé la carte postale que mon père m'avait envoyée de cette ville, qu'il avait aussi aimée. J'ai dit à Kôji que mes parents avaient vécu quelques années avec mon frère et mes sœurs à Jiamusi et que, de cette ville, mon père avait été envoyé en Sibérie. Kôji m'a demandé :

— Votre père est-il revenu au Japon?

— Non, il a disparu là-bas.

Très curieux, Kôji m'a posé des questions sur mon père. En fait, il suivait régulièrement les nouvelles des rapatriés de l'Union soviétique. J'ai été surpris d'apprendre qu'il avait aussi été présent devant le bâtiment de la délégation de l'Union soviétique lors de la manifestation organisée pour demander aux autorités de poursuivre le rapatriement de nos gens.

Kôji habitait un appartement dans le même quartier que nous. Il était divorcé. Par la suite, nous l'avons invité chez nous presque tous les week-ends. Un jour, il a parlé de sa première femme, qui vivait à Los Angeles, où Kôji avait été affecté avant de travailler à New York. Kôji nous a avoué qu'elle s'était fait enlever par son amant, qui était leur voisin. Ma femme en a été abasourdie : «Quelle histoire!» Kôji a dit : «C'était de ma faute, j'étais trop mobilisé par mon travail. Heureusement, nous n'avons pas eu d'enfants.»

Kôji semblait déprimé. J'ai dit pour l'encourager : «Tu es maintenant à New York. C'est le temps d'exercer tes talents de journaliste au plus haut niveau!» Kôji a souri amèrement. En fait, il avait voulu aller à Moscou, mais les autorités soviétiques avaient refusé de lui émettre un visa parce qu'ils savaient que Kôji avait étudié le russe à Harbin et fréquenté des Russes. Ils avaient cru qu'il irait à Moscou comme espion.

Depuis lors, nous sommes bons amis. À un moment donné, je lui ai montré des photos de mon père, prises juste avant qu'il ne parte pour la Mandchourie. Je lui en ai donné une, car il rencontrait à l'occasion de ses retours au Japon des rapatriés de la Sibérie. Kôji s'est exclamé : «Tu ressembles beaucoup à ton père!» J'ai ajouté que l'un de mes neveux, Satoshi, lui ressemblait aussi et qu'il avait même un grain de beauté sur la nuque, comme son grand-père. En examinant les photos, Kôji m'a dit : « Si je pouvais me rendre à Moscou, il me serait possible d'obtenir des informations sur ton père, même s'il est déjà mort. »

Kôji et moi sommes revenus à Tokyo la même année, en 1959. C'est aussi l'époque où mes grands-parents de Saïtama, les parents de mon père, sont morts de vieillesse, l'un après l'autre. Trois ans plus tard, on m'a renvoyé à l'étranger, cette fois à Londres. Ma femme m'a toujours accompagné. Nous y avons vécu deux ans. Kôji y est venu nous rendre visite deux fois. Après cette mission, je n'ai plus fait de longs séjours à l'étranger. Quand je me suis réinstallé enfin au siège social de Tokyo, c'était en 1964, voilà six ans. Quant à Kôji, il est devenu récemment journaliste indépendant.

Je bois mon cognac en écoutant du jazz. Je me demande : « Qu'est-ce que Kôji veut me raconter ce soir ? » Hier, il m'a dit au téléphone qu'il voulait me voir le plus tôt possible. Il a ajouté qu'en revenant de Washington il s'était arrêté à Los Angeles, où sa première femme habite toujours.

— Monsieur Toda, votre ami est arrivé...

Le barman m'a fait signe de regarder vers la porte d'entrée. Kôji s'approche du comptoir où je suis. Il n'a pas du tout l'air fatigué malgré son long voyage à l'étranger. Au contraire, il paraît plus énergique que d'habitude. Il sourit :

— Salut, Tsuyoshi !

En s'installant à côté de moi, il commande un whisky.

— Tu es de bonne humeur, Kôji. Ton voyage s'est-il bien passé?

— Sans encombre et sans surprises. Tu sais bien qu'il n'y a pas eu de grands progrès lors de cette conférence entre Satô et Nixon.

Kôji me raconte une anecdote intéressante qu'un de ses collègues lui a confiée. Il s'agit de l'ambiguïté de certaines expressions japonaises. Lorsque Nixon a demandé à Satô d'accepter la réduction de nos exportations de produits textiles, celui-ci a répondu : *zensho shimasu*. Satô a utilisé cette expression pour éviter «non». Pourtant, cela a été traduit en anglais par *I'll do my best*. Bien sûr, Nixon a cru à une réponse positive : pour les Américains, il n'y a que «oui ou non». Je ris. Cette erreur d'interprétation se produit très souvent lors de négociations avec des Américains.

Nous parlons politique et économie. Nous sommes d'accord pour dire que la demande de Nixon n'est pas raisonnable. Le déséquilibre commercial est inévitable dans le cadre d'un libre-échange. De fait, le Japon subit un déficit envers des pays pétroliers. Kôji demande, fâché : «Pourquoi est-ce au Japon de combler le déficit des États-Unis?» Je réponds : «Tout à fait, mais il faut penser à la demande désespérée du côté japonais. La promesse électorale de Satô est la restitution d'Okinawa. S'il ne cède pas à la demande de Nixon, ce sera difficile de réaliser cette promesse.» Kôji dit : «Bien sûr, mais Okinawa nous appartenait jusqu'à la fin de la guerre. Il faut nous la rendre sans conditions.»

Kôji continue. En l'écoutant, je me rappelle les paroles de Satô, qu'il répète au peuple : «L'après-guerre ne se terminera pas tant qu'Okinawa ne sera pas restituée au Japon!» Je voudrais bien qu'il y ajoute le rétablissement de l'honneur de tous les Japonais, comme mon père, qui ont été forcés de travailler en Union soviétique après la guerre. Il n'y a aucune indemnisation pour ces victimes, qu'elles soient mortes ou vivantes.

Soudain, quelques applaudissements éclatent. Une chanteuse paraît sur la petite scène installée devant un mur. Nous l'écoutons chanter une chanson française. Au bout d'un moment, Kôji me chuchote :

— Je t'ai dit au téléphone avoir passé trois jours à Los Angeles, n'est-ce pas?

Je demande franchement :

— As-tu rencontré ta première femme?

— Non. Je l'ai seulement vue quelques minutes.

— Quelques minutes? Qu'est-ce que tu veux dire?

— Je suis allé en taxi près de chez elle. Elle habite une petite maison entourée de fleurs. Je l'ai vue sortir de la maison avec son enfant, une fille de cinq ou six ans, de sang-mêlé.

— L'aimes-tu toujours?

— Si je dis non, ce n'est pas vrai. C'est par curiosité que j'y suis allé. Je n'irai plus.

Je vois un instant son visage d'homme triste se tenant devant la maison de sa première femme. Curieux, j'ai récemment fait un rêve : mon père était revenu de Sibérie et il avait hâte de revoir ma mère, mais elle était déjà remariée.

Kôji se met à fumer. Il se tait quelques instants, comme s'il réfléchissait. J'écoute la voix douce de la chanteuse. Kôji me demande :

— Comment va ta mère?

— Elle va bien, ou plutôt mieux.

Il me regarde, les yeux grand ouverts :

— Mieux?

Je lui raconte l'histoire de la veille, lorsque ma mère a réagi normalement aux conversations de la famille. Je dis qu'elle reprochait aux politiciens japonais leur aide envers l'actrice Yoshiko Okada qui souhaite revenir au Japon, au lieu d'aider les détenus japonais toujours en Sibérie. Kôji rit :

— Elle a tout à fait raison!

— Mais quand elle dit : «J'attends Banzô-*san*. Il viendra bientôt me chercher de Mandchourie», on voit bien que son esprit est dérangé.

Il répète d'un air sérieux :

— Ta mère a tout à fait raison.

— Pardon?

Son regard reste grave. Il écrase sa cigarette dans le cendrier, très lentement. Il me regarde dans les yeux et dit :

— J'ai vu ton père à Los Angeles.

«Quoi?» Je manque de renverser mon verre de cognac.

— Tu veux dire que mon père est vivant?

— Oui.

— Kôji, arrête tes plaisanteries!

— J'ai vu ton père de mes propres yeux. Laisse-moi maintenant t'expliquer pourquoi il se trouvait à Los Angeles.

Je suis confus. «Mon père est vivant? Pourquoi alors est-il aux États-Unis...?» Je pense aussitôt à ma mère. Mon cœur bat à grands coups. Ma main qui tient le verre de cognac tremble. Je ne peux que répéter à Kôji :

— Incroyable... Incroyable...

La chanson se termine. Des applaudissements éclatent de nouveau. Lorsque le calme est revenu, Kôji dit :

— Ton père est remarié.

— Quoi? Remarié? Avec une Américaine?

— Non, avec une Japonaise.

Je n'en crois pas mes oreilles. Le visage de ma mère me revient à l'esprit. Kôji ajoute :

— En fait, ils n'habitent pas à Los Angeles.

— Alors, où habitent-ils?

— À Yokohama.

— Yokohama? Comment ça? C'est tout près de nous, sa famille!

Je reste bouche bée. Kôji allume une autre cigarette. Le bruit du briquet qui bat sonne lourdement à mon oreille.

Je sors de la station de métro M. Dans le noir, je me dirige vers la maison. En marchant, je songe à ma mère, qui me sourit : «Tsuyoshi, j'ai l'intuition que ton père est toujours vivant.» Je me sens déprimé.

J'essaie de réfléchir à ce que Kôji m'a raconté tout à l'heure.

Kôji a passé trois jours à Los Angeles. Il a rencontré l'un de ses anciens amis, qui lui a fait bon accueil. Au dernier jour, il l'a invité à dîner dans un restaurant du quartier Little Tokyo. Lui et son ami ont choisi un vieux restaurant qu'ils avaient fréquenté à l'époque où Kôji travaillait au bureau du journal N. Le propriétaire en était toujours le même. C'est dans ce restaurant japonais que Kôji a vu mon père.

Kôji et son ami s'étaient assis au milieu du comptoir. La plupart des clients étaient japonais. Quelques instants plus tard, un Japonais est entré et s'est installé à une table du fond. Il avait l'air septuagénaire. Comme le propriétaire est sorti du comptoir pour le saluer, Kôji a pensé que c'était son ami. Mais il a regardé de nouveau cet homme, car son visage lui était familier. Au bout d'un moment, il s'est dit, surpris lui-même : «C'est le père de Tsuyoshi!» Il a sorti de son portefeuille la photo que je lui avais donnée il y a plus de dix ans. Il était sûr d'avoir reconnu mon père : «C'est bien lui!»

J'ai demandé :

— As-tu parlé avec cet homme?

— Mais non! Si un homme ne rentre pas chez lui après vingt-cinq années d'absence, c'est qu'il a certainement une raison grave de le faire.

— Alors, comment as-tu vérifié que c'était mon père?

Il m'a expliqué. Je l'écoutais, de plus en plus énervé.

Kôji est allé aux toilettes, situées au sous-sol. Pour s'y rendre, il fallait passer devant la table où l'homme était installé. Le propriétaire était déjà revenu au comptoir. Kôji se dirigeait vers le fond, où se trouvait l'escalier, tout en regardant l'homme, qui prenait du thé. Lorsqu'il est revenu des toilettes, il a remarqué un détail très important. J'ai demandé, curieux :

— Qu'est-ce que c'était?

Kôji a touché sa nuque de la main :

— Ici, j'ai vu un grain de beauté, comme celui de Satoshi.

— Mon Dieu…

— Alors, j'ai décidé de demander discrètement au propriétaire des informations à son sujet. J'ai attendu que l'homme quitte le restaurant.

Kôji a continué. Je l'écoutais comme on lit un roman policier.

Selon le propriétaire, l'homme souhaitait acheter son restaurant. Il voulait immigrer aux États-Unis en tant qu'investisseur. Sa femme était cuisinière et son cousin invitait ce couple à vivre à Los Angeles. « C'est bizarre… » Il m'était difficile d'unir l'image de mon père à la langue anglaise et au restaurant.

Kôji a sorti de la poche de sa veste un papier plié en quatre. Il m'a dit en le dépliant :

— Voici leur adresse et leur numéro de téléphone.

J'ai fixé des yeux les caractères manuscrits : 12-2-3 M-chô Naka-ku, Yokohama. Embrouillé, je dis :

— Même si c'est vrai qu'il est vivant, qui aurait pu imaginer qu'il vive tout près de chez nous?

Kôji murmure :

— En effet… Comme dit le dicton : « Le phare n'éclaire pas son pied. »

Ensuite, il a ajouté quelque chose sur le papier, un nom en *kanji*, Eiji Satô, semblable à celui de notre premier ministre Eisaku Satô. J'ai demandé :

— Est-ce le nom du propriétaire du restaurant?

— Non, c'est le nom actuel de ton père.

— Quoi? Il a changé même son nom?

— Il semble que oui…

J'étais interdit.

Je me rapproche de la maison. Dans le noir surgit le visage de mon père, plus jeune que moi. L'homme qui a aimé sa femme, l'homme qui a adoré ses enfants, l'homme qui a eu un grand sens de la justice, l'homme qui a été têtu mais très honnête. Malgré tout, cet homme ne rentre pas chez lui, où sa femme attend son retour depuis vingt-cinq ans. Au contraire, il envisage maintenant d'émigrer à l'étranger avec sa nouvelle épouse.

Le remariage, le changement de nom, l'habitation à Yokohama, l'émigration aux États-Unis… Alors, ma mère aurait attendu le retour de mon père si longtemps pour apprendre une telle histoire? Si son état mental était normal, elle deviendrait folle. Je suis moi-même profondément troublé. Un moment, j'entends la voix de ma mère : « Quel bonheur ! Banzô-*san* est enfin revenu ! » Mon cœur se serre.

Le lendemain, je me lève tôt et prends mon petit déjeuner, comme d'habitude. Je suis déjà habillé, portant chemise et cravate, prêt à aller au travail. Ma femme prend du thé, assise devant moi. Elle a l'air d'avoir encore sommeil. La veille, elle s'est couchée tard en écoutant l'histoire de mon père. C'est la seule personne de ma famille avec qui je peux la partager. Pour le moment, nous décidons de garder cette nouvelle secrète.

Je mange en réfléchissant. Elle me demande :

— Qu'est-ce qu'il y a, mon chéri?

— Je pense aller à Yokohama, ce matin.

— Ce matin? Comment vas-tu justifier ton absence à ton bureau?

— Tu pourras les informer que j'ai mal à la tête et que je m'y rendrai en après-midi, si je vais mieux.

Elle sourit amèrement et dit :

— J'ai songé à ta mère. Ce serait très pénible pour elle si elle apprenait cette histoire, surtout le remariage de son mari. Je me demande si ton père a des enfants avec sa nouvelle femme.

«Des enfants?» Ces mots me surprennent. Je n'y avais pas pensé. Elle me demande :

— Qu'est-ce que tu vas faire aujourd'hui à Yokohama? On ne sait pas s'ils sont déjà de retour.

— Je vais vérifier l'endroit où ils habitent. Je ne peux pas attendre qu'ils reviennent. C'est seulement pour calmer ma curiosité.

Elle dit, d'un air inquiet :

— Je te comprends, mais fais attention de ne pas être vu par leurs voisins. Tu m'as dit que tu ressembles beaucoup à ton père.

Elle a raison. Kôji aussi m'a averti la veille. En plus, ma voix est semblable à la sienne.

Je conduis sur l'autoroute qui mène à Yokohama.

Il fait beau. Par la fenêtre, je regarde les bâtiments en béton armé qui défilent l'un après l'autre, sans arrêt. À mesure que la voiture s'éloigne de la métropole s'étendent des milliers et des milliers de maisons en tuiles noires. Je suis envahi par un étrange sentiment en pensant que mon père vit au-delà de ces rangées d'habitations.

J'aperçois la ville de Yokohama. Je suis de plus en plus tendu.

Bien que cette ville soit très proche de Tokyo, je la visite rarement. Là-bas, nous n'avons pas de parents, proches ou éloignés. La dernière fois que j'y suis allé, c'était à l'occasion du mariage du fils d'un ami. Ironiquement, ma mère y allait souvent parce qu'elle aimait se promener dans le chinatown.

Je me rappelle une conversation que j'ai eue avec ma mère il y a longtemps. Elle trouvait les gens de Yokohama plus cosmopolites que ceux de Tokyo. Je lui ai expliqué qu'il s'agissait d'une ville maritime et que les gens étaient habitués à la présence des étrangers. Mais pour elle, un port n'était pas nécessairement un facteur qui rendait une ville cosmopolite. C'était plutôt la présence du chinatown qui était significative. «Pense à Kôbe et à Nagasaki, a-t-elle dit, où il y a aussi un quartier chinois. Pour moi, ils sont aussi plus cosmopolites que ceux de Tokyo. La mentalité y est plus ouverte, ils acceptent des cultures différentes.» Je l'écoutais, intéressé. Le mot «cosmopolite» me rappelait la ville de Harbin que mon père avait adorée.

Ma mère m'a aussi dit que la plupart des Chinois du chinatown de Yokohama sont originaires de la province de Guangdong et que leur histoire remonte à plus de cent ans. Je l'ignorais. Pour ma mère, qui a vécu trois ans en Mandchourie, ça doit être par nostalgie qu'elle visitait le quartier chinois.

De même, si mon père a de bons souvenirs de la Mandchourie, c'est compréhensible qu'il ait choisi une ville comme Yokohama. Je me rends compte à cet instant qu'il y a aussi un petit chinatown à Los Angeles. Je me demande si sa nouvelle femme est chinoise ou bien japonaise d'origine chinoise…

Je vois le visage de ma mère qui me sourit : « Banzô-*san* viendra bientôt me chercher ! » J'ai envie de pleurer.

J'arrive à Yokohama. Je sors de l'autoroute pour entrer dans le quartier de Naka, où se trouve la maison de mon père. En suivant une petite rue, je remarque un parking situé devant un parc. Je m'y gare et regarde le plan du quartier acheté avant de partir de Tokyo. Selon l'adresse, la demeure de mon père est tout près d'ici. Au bout de cette rue, il y a un boulevard qui mène à une entrée du chinatown. Sa maison doit être alors sur une rue près de cette entrée, parallèle à celle où je suis maintenant.

Je sors de la voiture. Le ciel est tout bleu et la lumière du soleil éblouissante. Une belle journée d'automne. Je me sens bizarre, car je n'ai jamais passé du temps ainsi au cours d'une matinée de semaine, alors que tout le monde travaille. En réalité, je ne me rends pas encore pleinement compte du fait que je vais maintenant trouver la maison de mon père, cet homme que je n'ai pas vu depuis vingt-huit ans.

Je vois un groupe d'enfants marcher vers le parc, accompagné de deux femmes qui doivent être des éducatrices. Ils chantent une chanson que je ne connais pas. Tous portent le même uniforme bleu. À l'entrée du parc, une éducatrice explique à ses élèves les règlements du parc. Aussitôt après, les enfants se précipitent en poussant des cris de joie vers les balançoires, le toboggan et le bac à sable. Un garçon creuse le sable avec une pelle en plastique. En le regardant, je me rappelle la plage de la rivière que je fréquentais avec mon père. C'était un excellent nageur. Un instant, le garçon tourne la tête vers moi, le regard candide.

Dans mon enfance, j'ai passé beaucoup de temps avec mon père. J'ai été enfant unique jusqu'à l'âge de onze ans, lorsque mon frère est né. Mes parents avaient pensé que je serais leur premier et dernier enfant. À la différence de moi, mon père n'a pas passé beaucoup de temps avec mon frère et mes sœurs. Son travail de contremaître l'accaparait alors. Je me suis occupé d'eux à sa place.

J'entre dans une rue commerçante. Des gens, des voitures et des bicyclettes passent sans arrêt. Les maisons et les magasins ressemblent à ce qu'on trouve partout au Japon. Pourtant, j'éprouve le sentiment d'être perdu quelque part, comme dans un labyrinthe.

En marchant, je me souviens d'une conversation avec l'un de nos clients américains. Il m'avait dit, frustré : « Il n'y a pas de noms ni de numéros de rue. Comment fait-on pour se rendre à l'endroit qu'on cherche ? » Je lui ai répondu : « Demandez-le au poste de police ou bien au facteur du quartier. Ils connaissent les noms des résidents par cœur. » Il n'était pas content : « Les villes japonaises sont de véritables labyrinthes ! » Le mot « labyrinthe » évoque maintenant la nouvelle vie de mon père : en un sens, un endroit pareil est commode pour des gens qui veulent vivre dans l'anonymat.

J'entre dans la rue en question. Bientôt, je me trouverai devant la maison de mon père. J'ai des palpitations, la cadence de mon pas ralentit. Plus je m'avance, plus je perds mon sang-froid. Lorsque j'y arrive, je vois quelque chose de tout à fait inattendu. Il ne s'agit pas d'une maison, mais d'un restaurant nommé Zakuro ! Je m'écrie : « C'est bien lui ! » Les lettres du nom sont écrites en *hiragana*.

Sur l'enseigne du restaurant Zakuro, on indique qu'on y sert principalement le *udon* et les tempuras. Les heures d'ouverture sont affichées : le déjeuner 11h-14h30, le dîner 17h-22h30. Je remarque que le numéro de téléphone du restaurant n'est pas le même que celui que m'a fourni Kôji. Je le note sur mon carnet.

Je souris en regardant les mots *udon* et tempuras. Son repas préféré était le *tempura-udon*. «C'est bien mon père!» Satisfait, je continue à marcher. Il est seulement dix heures et demie du matin. Je décide de flâner avant de retourner à mon bureau. Je n'ai pas encore faim. J'entre dans un petit café, assez loin du restaurant Zakuro.

Le café est sympathique. Je m'installe à une table près du comptoir. Une serveuse va et vient entre les clients. Certains terminent un petit déjeuner américain : des toasts et des œufs avec du jambon. Derrière le comptoir, un jeune couple prépare habilement les commandes. L'homme fait griller du pain et la femme verse du café dans des tasses. Ils s'échangent quelques mots de temps en temps.

Je bois un café. En regardant ce couple, je me demande si mon père et sa femme travaillent ensemble, comme ce couple, dans la cuisine de leur restaurant. Puisque je ne l'ai jamais vu faire la cuisine, il m'est encore difficile d'imaginer mon père préparer des tempuras, ou quoi que ce soit. C'était un homme d'une forte constitution, fait pour le travail de chantier.

J'entends la femme derrière le comptoir dire à son mari :

— Mon chéri, sais-tu que monsieur Satô et sa femme sont allés aux États-Unis?

«Monsieur Satô?» Je me tourne vers le couple. C'est le nouveau nom de mon père. L'homme répond :

— Bien sûr! Il s'agit de la rencontre de notre premier ministre avec le président Nixon. Tout le monde est au courant de ça. Je suis content que tu t'intéresses à la politique.

La femme rit :

— Non, non! Je parle des propriétaires du restaurant Zakuro. Ils sont allés deux semaines aux États-Unis.

«Zakuro?» Je tends l'oreille. L'homme demande :

— Ah bon? À quelle occasion?

— Pour fêter leur trente-cinquième anniversaire de mariage. C'est chouette, n'est-ce pas?

— Oui, dit-il. Mais qui s'occupe du restaurant pendant ce temps-là?

— Ça doit être leur fils, bien sûr.

— Quelle chance! J'aimerais bien prendre un aussi long congé.

Un client s'assoit au comptoir. Le couple s'arrête de parler. Mon sang me monte à la tête. Troublé, je sors du café et me dirige directement vers la rue où ma voiture est garée.

Je réfléchis. Mon père a donc un enfant avec sa nouvelle femme, comme ma femme s'en doutait. Ce n'est pas surprenant en soi. Mais que signifie «leur trente-cinquième anniversaire de mariage»? Mon père aurait épousé cette nouvelle femme en 1935 alors qu'il était encore marié avec ma mère? Comment ça? Mes parents se sont mariés en 1920 et ils sont allés ensemble en 1942 en Mandchourie, d'où mon père a été déporté en Sibérie. Ça veut dire que mon père serait revenu de Sibérie pour retourner auprès de cette deuxième femme, au lieu de ma mère…

Je vois l'image de ma mère, souriante, qui me dit : «J'attends Banzô-*san*. Il est encore en voyage d'affaires en Mandchourie. J'ai hâte de le revoir!» Je suis déconcerté. Graduellement, je me sens envahi par une forte colère contre mon père. Je crie sans le vouloir : « Quel égoïste ! »

Ce soir, après mon travail, je m'arrête à la résidence de ma mère.

C'est un bâtiment de béton à deux étages. Ma mère demeure dans une petite chambre au premier. La pièce est insipide comme celle d'un banal hôtel d'affaires. Heureusement, la fenêtre donne sur la cour où se trouve un joli parterre. Chaque année, on y plante des fleurs différentes, et cette fois, ce sont des chrysanthèmes. Blanc, jaune, rose, orange... Ils sont en pleine floraison, comme chez nous. Néanmoins, ma mère a maintenant perdu tout intérêt pour les choses qui l'entourent.

J'entre dans sa chambre. Elle est assise sur une chaise, la tête baissée. Dans ses mains, la photo qu'elle nous a montrée dimanche soir dernier. Je m'approche doucement. Elle ne s'aperçoit pas de ma présence.

— Bonjour, dis-je.

Elle lève les yeux :

— Qui est-ce?

— C'est moi, Tsuyoshi.

— Tsuyoshi? Qui est-ce?

Son regard est indifférent. Je réponds quand même :

— C'est ton fils.

— Mon fils? Je n'ai pas d'enfants.

Je n'insiste pas. Elle me demande :

— Banzô-*san* n'est pas venu avec toi?

— Mais non, il est encore en Mandchourie.

— C'est vrai...

Son regard s'assombrit. Elle marmonne :

— C'est étrange...

Elle tient toujours la photo dans les mains. Je demande :

— Qu'est-ce qui est étrange?

— J'ai rêvé de lui ce matin. On m'a dit qu'il est revenu hier.

J'ai un coup au cœur. « Elle a toujours raison... »

— Ah bon? Je ne le savais pas. Comment était-il?

— Il allait très bien. Il portait le même complet d'été blanc que sur cette photo. Il fait encore chaud, n'est-ce pas?

— Oui, il fait chaud...

Je me tais. Elle tourne la tête vers la fenêtre. Son regard est vague. Je me demande ce qu'elle voit, les chrysanthèmes ou le visage de mon père. Bientôt, elle se met à chanter *Akatonbo*, sa chanson favorite.

Je pense à ce que son médecin m'a dit tout à l'heure. Selon lui, ma mère mange de moins en moins et refuse de plus en plus de sortir de sa chambre. Elle ne reconnaît plus les gens d'ici. Pourtant, le souvenir de sa jeunesse est toujours clair et vivant. Elle le raconte d'elle-même, surtout l'époque où elle a rencontré mon père. Le médecin a souri : «Votre mère est calme. Elle vit maintenant dans son passé agréable en attendant le retour de son mari, ou plutôt de son amoureux.»

Ma mère regarde toujours vers la cour. Sa peau pâle, son corps amaigri, ses cheveux tout blancs sans lustre. C'est dommage qu'elle soit devenue gâteuse si jeune. C'était une femme belle et charmante, comme la fameuse actrice en exil en Union soviétique. Mon père m'a dit un jour : «Chaque fois que j'appelle ta mère "Yoshiko", je me rappelle l'actrice Yoshiko Okada. Mais ta mère est plus belle!»

Ma mère sourit :

— Mon mari m'a dit que je devais quitter la Mandchourie avec les enfants, avant qu'il ne soit trop tard. Il avait raison, n'est-ce pas!

Je réponds, sans émotion :

— Bien sûr! Tous ses enfants sont fiers de cette décision.

Elle ne réagit pas à mes paroles. La tête baissée, elle caresse la photo de ses doigts.

Je me souviens de ce que ma mère me racontait à propos de cette époque. Les collègues de mon père se moquaient de sa décision parce que les conditions de vie dans la métropole, particulièrement dans les grandes villes comme Tokyo, se détérioraient de plus en plus. Selon eux, il était préférable de demeurer en Mandchourie jusqu'à ce que la guerre se termine. Ma mère voulait rester avec mon père en Mandchourie, mais il l'a persuadée de partir en expliquant qu'il serait très difficile de sortir de cette colonie japonaise si le Japon était défait.

En effet, tout s'est passé comme mon père l'avait pressenti. Après la guerre, les soldats japonais ont été envoyés dans des camps de travaux forcés en Union soviétique. Le reste des Japonais de Mandchourie, les vieux, les femmes et les enfants, ont connu un sort épouvantable. Les soldats russes se permettaient tout : brigandages, meurtres, violences. Beaucoup de Japonaises ont été violées, certaines se sont suicidées ou sont devenues folles.

On a appris plus tard que les Japonais abandonnés dans cette situation avaient dû faire des efforts surhumains pour revenir au Japon. Des femmes avaient dû confier leur enfant à des Chinois : elles devaient faire un long trajet, sans aucune sécurité, pour traverser le trente-huitième parallèle nord qui divisait la péninsule coréenne en deux. Beaucoup de gens sont morts durant ce trajet désespéré. Ma mère me disait : « Si j'avais été seule avec mes trois enfants en Mandchourie, il aurait été impossible de revenir tous ensemble au Japon. Je plains tellement les femmes qui ont dû abandonner leurs enfants. »

Selon ma mère, mon père lui a ordonné d'aller directement chez ses parents, qui habitaient à la campagne, dans la préfecture de Saïtama. Elle lui a obéi. Ses beaux-parents ont accueilli avec plaisir leur belle-fille et leurs trois petits-enfants. Bientôt, Tokyo a été complètement détruite par les bombardements américains. Ma mère y a perdu plusieurs membres de sa famille, dont ses parents.

Mon père a donc sauvé la vie de sa femme et de ses trois enfants avant d'être déporté en Sibérie. Malheureusement, il s'est par la suite dérobé de sa famille quand il est revenu au Japon.

Ma mère s'exclame brusquement :

— Ah, c'est Banzô-*san* !

Surpris, je me lève. Elle désigne du doigt le fond du jardin où un homme s'approche de l'entrée du bâtiment. Il tient une boîte dans ses bras. Sa chemise et son pantalon sont blancs. C'est un électricien qui travaille ici à l'occasion. Ma mère me dit, excitée :

— Va le chercher immédiatement, s'il te plaît! Banzô-*san* ne connaît pas le numéro de ma chambre. Ah, il est enfin revenu me voir!

Ses yeux étincellent. Son regard reste en extase. Je n'ai jamais vu son visage aussi heureux depuis qu'elle est tombée malade. Un instant, je me demande : «Qui est cette femme? Ce n'est pas ma mère, ce n'est pas celle que je connais.» Elle crie après moi :

— Dépêche-toi!

Devant son air menaçant, je sors vite de la chambre.

Au rez-de-chaussée, je croise l'électricien, qui me salue. J'entre dans le salon des visiteurs pour me calmer un instant. Par la fenêtre, je vois le parterre de chrysanthèmes aux couleurs variées. Bien qu'il fasse déjà noir, ils brillent sous les feux des lumières électriques. Je réfléchis : «Comment puis-je convaincre ma mère que ce n'était pas Banzô-*san*?» Je voudrais bien lui dire que son mari est mort en Mandchourie lors d'un accident survenu au cours de son travail.

La journée a été longue. Je rentre à la maison, épuisé. Je n'ai pas encore raconté à ma femme l'histoire de mon père que j'ai entendue dans le café de Yokohama. Elle doit attendre mon retour avec impatience.

— Bonjour, oncle Tsuyoshi !

À la place de ma femme, Satoshi m'accueille. Il dit être venu ici directement de l'école aider sa tante à installer de nouveaux tatamis dans la chambre de cérémonie du thé. J'ai oublié qu'elle m'avait demandé de le faire si je rentrais tôt à la maison. Satoshi dit qu'elle est sortie acheter des ingrédients pour le *tempura-udon*. « *Tempura-udon ?* » Je pense à mon père et à son restaurant Zakuro. Satoshi sourit :

— Ce soir, je vais aussi l'aider à faire la cuisine !

— C'est bien !

Je me repose au salon, où Satoshi est en train de faire ses devoirs. J'aperçois sur la table quelques *zakuro*. Il lit un texte en mangeant des grains. Sa tête est baissée et mon regard fixe aussitôt son grain de beauté. Le visage de mon père me traverse l'esprit. Je me demande s'il pourrait éventuellement rencontrer toute sa famille, au Japon ou aux États-Unis.

Satoshi me dit, ennuyé :

— Demain, j'ai un examen d'histoire japonaise sur la période de l'après-guerre.

— Bonne chance !

— Je n'aime pas du tout cette matière.

Je dis, sans m'en soucier :

— C'est dommage. L'histoire est intéressante.

J'ouvre le journal d'aujourd'hui. On parle toujours des négociations sur les textiles. Je vois le visage de notre premier ministre Eisaku Satô, dont le nom ressemble tant au nouveau nom de mon père, Eiji Satô.

Je demande à Satoshi incidemment :

— Pourquoi tu n'aimes pas l'histoire ?

Il répond :

— Honnêtement, ce n'est pas l'histoire que je n'aime pas. C'est ce manuel scolaire lui-même.

Je suis curieux :

— Qu'est-ce que tu veux dire ?

— Des événements bien réels, comme celui des Japonais déportés en Sibérie, sont absents du texte. Je me demande comment réagirait mon grand-père s'il était vivant.

Je me tais un moment, troublé par les mots « s'il était vivant ». Je me penche vers lui :

— Montre-moi ton livre.

Il me le passe en désignant un paragraphe qui relate la déclaration commune de 1956 entre le Japon et l'Union soviétique, qui a marqué le rétablissement de leurs relations diplomatiques. Je lis quelques pages avant et après, mais je ne trouve nulle part des indications concernant les rapatriés de Sibérie. Je consulte l'index au mot Sibérie et trouve seulement les mots « envoi des troupes en Sibérie ». Il s'agit de l'époque de Lénine, peu avant la formation de l'Union soviétique.

Je murmure :

— Qu'est-ce que c'est que ça ?

Je sais que beaucoup de livres ont été publiés à ce sujet par des rapatriés de la Sibérie, mais j'ignorais que cette histoire précise n'était pas évoquée dans les manuels scolaires. Le Japon a pourtant été une victime directe des politiques de l'Union soviétique. Satoshi me dit :

— On parle beaucoup des victimes des bombes atomiques larguées sur Nagasaki et Hiroshima. Pourquoi ignore-t-on les victimes des travaux forcés en Sibérie ?

Il a raison. On dit que plus de 600 000 Japonais y ont été déportés, sans préavis. Pire encore, plus de 60 000 y sont morts… Et même maintenant, vingt-cinq ans après la fin de la guerre, personne ne connaît le nombre exact de victimes de cette déportation, mortes ou vivantes. En réalité, les chiffres réels doivent être beaucoup plus élevés que ceux qu'on donne officiellement. Honnêtement, je ne sais vraiment pas pourquoi ce sujet est traité aussi froidement. Je suis curieux de savoir ce que mon père en penserait.

Je réfléchis et dis à Satoshi que, lors de la déclaration commune de 1956, le Japon a renoncé au droit de demander une indemnisation pour les soldats affectés aux travaux forcés. Pourtant, il n'a pas dédommagé les rapatriés à la place de l'Union soviétique, ce qui n'est pas juste pour les victimes et leurs familles comme la nôtre. Voilà pourquoi on passe ce sujet sous silence… Satoshi a l'air insatisfait de cette réponse :

— Grand-mère m'a dit que Staline n'a pas trompé le Japon. Notre gouvernement a accepté de lui donner ces soldats japonais comme travailleurs.

Je suis stupéfait :

— Impossible ! Quand a-t-elle dit une chose pareille ?

— La semaine dernière. Je suis allé à sa résidence après l'école.

Je regarde son visage, décontenancé :

— Son esprit n'est plus normal. Ne répète à personne ce qu'elle dit.

— Je le sais. Elle m'a même dit que Hitler ne s'est pas suicidé, qu'il est encore vivant quelque part en Amérique du Sud. C'est drôle, n'est-ce pas?

— Ridicule!

On entend la porte d'entrée s'ouvrir. Ma femme est rentrée. Satoshi se met à débarrasser ses affaires de la table. En ramassant les écorces du *zakuro*, il me dit :

— J'ai apporté un *zakuro* à grand-mère. Elle ne m'a pas reconnu comme son petit-fils, mais elle a été émue en regardant le fruit.

Je remarque que son regard ressemble maintenant beaucoup à celui de mon père. Un instant, j'ai l'illusion d'être devant lui.

Je vois Kôji au même bar que l'autre jour. Une semaine s'est écoulée depuis qu'il m'a appris la nouvelle au sujet de mon père.

Kôji me demande si mon père est déjà revenu de Los Angeles. Je réponds :

— Non, pas encore.

Je lui raconte que je suis déjà allé à Yokohama vérifier l'existence de la maison de mon père, qui est en fait un restaurant nommé Zakuro. Kôji sourit :

— Restaurant? Ça ne m'étonne pas, car sa femme est cuisinière.

Je lui résume ce que j'ai appris par hasard dans un café : mon père et sa femme sont mariés depuis trente-cinq ans. Surpris, Kôji me demande :

— Tu veux dire que ton père avait connu cette femme avant de revenir de Sibérie?

Je réponds, embarrassé :

— Ça en a tout l'air… Il a même eu un fils avec elle.

— Un fils? Le propriétaire du restaurant de Los Angeles ne l'a pas mentionné...

Kôji réfléchit. Je poursuis :

— Je ne suis pas certain maintenant de vouloir rencontrer mon père. Dans ma famille, surtout mon frère et mes petites sœurs, qui voudrait apprendre une histoire pareille? Tout le monde le croit mort.

Je songe à ma mère, qui vit dans le souvenir du temps passé avec mon père. Il n'est pas question de lui révéler ce que je sais.

Kôji me dit :

— Je me souviens toujours du visage de ton père ce jour-là. L'expression de ses yeux était très particulière. Je crois qu'il y a quelque chose de compliqué et de lourd dans son passé. C'est mon intuition.

Il a mis l'accent sur le mot «intuition». Cela évoque aussitôt les paroles de ma mère, qu'elle répétait quand elle était encore en bonne santé. «Tsuyoshi, j'ai l'intuition que ton père est vivant!»

Aujourd'hui, Kôji me raconte l'histoire d'un homme qui est revenu de Sibérie dix ans après la fin de la guerre. C'était un policier militaire qui vivait en Mandchourie. À la fin de la guerre, il a été déporté en Sibérie, comme mon père. Puis il a été accusé de contre-révolution et condamné à plus de vingt ans de travaux forcés, à Noril'sk. Lorsqu'il est enfin revenu au

Japon, il avait déjà presque cinquante ans. Il voulait reprendre un emploi comme policier, mais il a été refusé partout. Il est mort récemment après une longue dépression. Selon sa famille, il était très déçu de l'État pour lequel il s'était pourtant sacrifié durant la guerre.

Kôji me dit d'un ton fâché que les rapatriés de l'Union soviétique comme lui n'ont reçu aucune compensation ni aide pour chercher un emploi. « Comment peut-on traiter ces gens ainsi ? En Allemagne, une loi a été promulguée pour protéger les rapatriés des camps de travaux forcés… »

Kôji a raison, mais j'éprouve des sentiments confus en pensant au cas de mon père. Quand il a été envoyé en Sibérie, il avait déjà quarante-sept ans. Je suis sûr qu'il avait plus de cinquante ans à son retour au Japon. C'était un travailleur ordinaire, moins considéré que le policier. À son âge, il aurait été difficile de recommencer sa vie à zéro. Néanmoins, il semble avoir bien réussi, il envisage même d'émigrer aux États-Unis en tant qu'investisseur. Mais comment tout ça est-il possible ? Je voudrais bien connaître le fond des choses.

Je dis à Kôji que je suis décidé à contacter mon père. Il me sourit : « Bonne chance, Tsuyoshi ! »

Je suis dans mon bureau. Je reviens d'une réunion au sujet de l'employé défunt. Il s'agissait d'établir le montant de l'indemnité à accorder à sa famille. La décision sur la somme a été enfin prise. Cela me paraît raisonnable. Je suis soulagé en pensant aux enfants du défunt.

Il est trois heures de l'après-midi. À quatre heures, j'ai rendez-vous avec un client américain. Jusque-là, je serai libre, à moins qu'il n'arrive quelque chose d'urgent au sein de notre service.

Comme c'est inhabituellement tranquille, j'en profite pour essayer de contacter mon père par téléphone. Je sors de la pochette de ma chemise le morceau de papier remis par Kôji. J'y vois l'adresse, le numéro de téléphone et le nouveau nom de mon père. Mon regard fixe les lettres E-i-ji Sa-tô. J'hésite encore à décrocher le téléphone. À vrai dire, je ne sais comment m'adresser à lui.

Plus de deux semaines ont passé depuis que Kôji m'a révélé la nouvelle vie de mon père. Et ça fait exactement une semaine que ma femme a téléphoné au restaurant Zakuro pour demander si monsieur et madame Satô s'y trouvaient. Selon l'employée qui lui a répondu, le couple serait de retour ce week-end-là. Elle n'a pas fait allusion à leur voyage à Los Angeles. On est mercredi, ils doivent donc être revenus à Yokohama.

Enfin, je compose le numéro. Mon doigt tremble. La sonnerie se fait entendre. Mon cœur bat rapidement, je tente de me calmer en respirant à pleins poumons.

— Allô, dit une voix d'homme au bout du fil.

Je demande :

— Je suis bien chez monsieur Sâto?

— Oui. Qui est à l'appareil?

« C'est bien lui! » Sa voix n'a pas changé. Au lieu de me présenter, je demande de nouveau :

— Vous êtes monsieur Eiji Satô?

Il répète, la voix posée :

— Oui. Qui est à l'appareil?

Je réponds, hésitant :

— C'est Tsuyoshi, Tsuyoshi Toda.

— ...

Il ne répond pas. Mon cœur palpite. J'ai peur qu'il ne raccroche.

— Père, c'est moi, ton fils aîné.

— …

Après un moment de silence, il dit :

— Je suis désolé, monsieur. Vous vous êtes trompé de numéro. Au revoir, monsieur.

Je crie :

— Non, non, ne raccroche pas, s'il te plaît !

Il ne répond pas. Je dis :

— Je sais que tu as maintenant une nouvelle vie avec ta nouvelle femme et ton fils et que bientôt vous partirez pour Los Angeles.

Il reste toujours silencieux. Je lance d'une seule traite :

— Si je te contacte, ce n'est pas pour te demander de rentrer chez nous. Ma mère est atteinte de démence grave et on ne sait pas combien d'années elle pourra vivre encore. Je veux que tu la voies au moins une fois avant de partir. Depuis vingt-cinq ans, elle croit que tu es vivant, même maintenant qu'elle ne reconnait plus les visages de sa famille.

Ma voix tremble. J'ai des larmes aux yeux en pensant à ma mère. Mon père dit enfin :

— Je comprends, Tsuyoshi. Nous nous verrons, à condition que personne ne le sache.

Un grand soulagement m'envahit. Je reprends mon souffle :

— Je voudrais te voir le plus tôt possible. Je pourrais venir à Yokohama, même demain soir.

— Ne t'inquiète pas, Tsuyoshi. Je ne me cacherai plus de toi. Je pourrais venir à Tokyo ce week-end. Tu dois être occupé par ton travail. Dis-moi l'endroit et l'heure qui te conviennent.

— Attends...

Je tourne les pages de mon agenda. Ma main tremble. Je lui propose de venir à quinze heures, ce dimanche, au café K., situé devant la station de métro Kanda.

— D'accord, Tsuyoshi. À bientôt.

Il raccroche. J'essuie la sueur sur mon front.

Je flâne dans une rue commerçante, à Yokohama. C'est tôt le matin, les magasins sont encore fermés. Je croise des gens qui se dirigent vers l'est. Comme ils parlent chinois, je suppose qu'ils travaillent dans le chinatown. J'entre dans un café. Là, Kôji prend son petit déjeuner en compagnie d'une femme. «Qui est-ce? Sa première femme?» Je suis curieux, mais je fais semblant de ne pas les remarquer. Derrière le comptoir, le barman que je connais bien prépare le café. Je ne comprends pas pourquoi il est ici ce matin, mais je m'abstiens de lui poser la question. Je commande un *kôcha* avec une tranche de citron.

Il est onze heures du matin. J'ai faim et me rends aussitôt au restaurant Zakuro. Une jeune employée m'accueille avec un *oshibori* chaud et une tasse de thé. Je demande :

— Qu'est-ce que vous me recommandez, mademoiselle? Quelle est la spécialité du chef?

Elle sourit :

— Monsieur, ici tous les plats sont des spécialités.

— C'est vrai ? Alors, je prendrai un *tempura-udon*. C'est le plat que mon père aime le plus.

Elle demande, l'air étrange :

— Pourquoi choisissez-vous le plat que votre père aime le plus ?

— Parce que c'est son restaurant ! Son plat favori doit être délicieux, n'est-ce pas ?

Elle ouvre grand les yeux :

— Monsieur, mon patron n'a pas d'enfants.

— Mademoiselle, ne vous moquez pas de moi. C'est lui qui m'a dit de venir ici. Il est enfin revenu de Sibérie et j'en suis très content.

Elle rit :

— Sibérie ? Ce nom n'existe plus sur la carte du monde !

« Quoi ? » Estomaqué, je demande :

— Vous n'avez pas appris à l'école l'histoire des soldats japonais qui ont été envoyés aux camps de travaux forcés ?

Elle répond sèchement :

— Non, pas du tout.

— C'est incroyable ! Voilà pourquoi les gens de la nouvelle génération sont si ignorants.

Elle est fâchée.

— Ce n'est pas de notre faute, monsieur! C'est à cause des gens de votre génération qui ont rédigé les manuels scolaires. Maintenant, l'histoire ne sert à rien, car tout ce qu'on apprend n'est que mensonge.

Ennuyé, je me lève de la chaise et dis :

— Je veux voir mon père.

Elle pousse des cris perçants :

— Vous êtes fou! Je vais appeler la police!

Une femme, qui porte un kimono splendide, sort de la cuisine. Elle a l'air d'avoir l'âge de ma mère. Son visage est très beau et mystérieux. Je crois que c'est la nouvelle femme de mon père et je me présente poliment :

— Bonjour, madame. Je m'appelle Tsuyoshi Toda. Vous êtes bien madame Satô?

Elle dit :

— Non, je ne suis pas madame Satô. Je m'appelle Yoshiko Okada.

«Madame Yoshiko Okada?» Au bout d'un moment, je me rends compte que c'est la fameuse actrice qui s'est exilée avec son amant en Union soviétique. «Que fait-elle ici, dans le restaurant de mon père?»

— Qui cherchez-vous, monsieur?

— Je suis venu ici voir mon père, dis-je. Il s'appelle Eiji Satô, c'est son nouveau nom.

Elle répond avec un doux sourire :

— Vous vous êtes trompé. Mon mari s'appelle monsieur T. Il vit à Moscou.

Je demande :

— Alors, où sont monsieur et madame Satô?

— Je suis désolée. Je ne comprends pas de qui il s'agit.

Tout à coup, la jeune employée me dit en riant :

— Ils sont déjà partis pour Los Angeles!

Madame Okada me dit, le regard triste :

— Ça recommence. C'est son imagination. Son esprit est dérangé depuis que son mari a disparu en Sibérie.

Je vois la jeune employée assise sur une chaise. Elle tient une photo dans ses mains. Ses cheveux sont maintenant tout blancs. Elle tourne la tête vers moi. Je crie : «Mère!» Elle m'ignore et se met à chanter *Akatonbo*. Je sors du restaurant et j'aperçois un vieux couple marchant vers l'est. Je crie : «Père!» L'homme se retourne. «C'est bien lui!» Il me sourit. Je crie de nouveau : «Attends-moi, père!»

Je me réveille. Je murmure : «Quel drôle de rêve...»

À côté de moi, ma femme dort. Je regarde les rideaux de la fenêtre, légèrement éclairée par la lumière du petit matin. On est dimanche. Cet après-midi, je rencontrerai mon père.

En fait, je ne m'en rends pas pleinement compte. Je me pose sans cesse la même question : « Est-ce vraiment mon père que je vais voir aujourd'hui? » L'homme que je n'ai pas vu pendant plus d'un quart de siècle. Je me sens désemparé au lieu d'être excité à l'idée de le revoir. Il y a tellement de questions que je voudrais lui poser à propos de sa vie mystérieuse : son remariage, son changement de nom, son émigration aux États-Unis... Je me répète : « Comment est-ce possible? » Je me demande aussi comment il va m'expliquer tout ça. C'était un homme taciturne. Il ne disait que des choses importantes pour lui.

Le bruit des oiseaux se fait entendre. Ma femme sort du futon doucement. Je réfléchis au rêve que j'ai fait tout à l'heure. Je tente de me souvenir du visage souriant de mon père, mais je n'y parviens pas.

J'arrive au café K. C'est le lieu de rendez-vous que j'ai indiqué à mon père. Le café se situe au deuxième étage d'un immeuble, en face de la station de métro Kanda. Je suis en avance de quinze minutes. Je m'installe à une table placée près de la fenêtre. D'ici, on peut voir les piétons et les cyclistes passer devant le bâtiment. Le ciel est limpide, la lumière du soleil est douce. Les gens se promènent, détendus. Je prends un *kôcha* avec une tranche de citron. Bientôt, mon père en personne sera ici. Ma main qui tient la tasse tremble. Je tente de me calmer.

Je sors de ma poche une photo que j'ai apportée pour mon père. C'est la photo prise le mois dernier, quand toute la famille est venue chez nous. Ma mère est installée au milieu du canapé. À ses côtés, ma femme et moi. Devant nous, les enfants sont assis sur les talons. Mon frère, sa femme, mes deux sœurs et leurs maris sont debout derrière le canapé. Tout le monde sourit, sauf ma mère, qui fixe l'appareil, les yeux écarquillés. Elle tient dans ses mains la photo qu'elle nous a montrée, celle de mes parents portant des vêtements d'été tout blancs.

Ma mère semble beaucoup amaigrie ces derniers jours. J'essaie de me rendre à sa résidence le plus souvent possible, surtout le week-end. En fait, je comptais la voir ce matin, mais je n'ai pas osé y aller car j'avais peur de sa réaction. Même si elle ne sait pas ce qui se passe autour de moi, à propos de mon père, elle peut ressentir quelque chose à mon arrivée. Elle pourrait me dire : «Banzô-*san* est de retour de Mandchourie. Où est-il maintenant?»

Il est presque trois heures. Les piétons sont plus nombreux que tout à l'heure. Des jeunes, des vieux, des hommes et des femmes. Seuls, en couple, en famille, en groupe d'amis. Soudain, j'aperçois un homme se diriger vers le bâtiment où je suis. Son allure est plutôt lente. Il porte un long blouson brun. Son visage n'est pas visible à cause de sa casquette, mais je pense que ça doit être lui. Il s'approche de la porte d'entrée qui mène au café et disparaît de ma vue. Mon cœur s'affole. Les yeux fermés, je respire profondément.

La porte d'entrée du café s'ouvre. Je vois le visage de l'homme. «C'est bien mon père!» Je me lève de ma chaise, il me reconnaît et s'approche de moi. C'est comme si je regardais une scène de film au ralenti. Je me répète : «C'est bien mon père!» Son visage n'a pas changé autant que je l'imaginais. Pourtant, l'expression de ses yeux n'est pas celle que j'ai connue. Comme Kôji le disait, son regard cache une tristesse profonde.

Mon père s'arrête devant moi. Nous nous regardons. Trop ému, je ne sais que dire. Il prend ma main dans ses deux mains, qui sont rugueuses. Un moment, je pense qu'il n'est pas cuisinier. Il dit :

— Pardonne-moi pour l'autre jour au téléphone.

Je sens la sincérité dans son ton.

— Ne t'en fais pas, père. Tu n'attendais pas une telle surprise.

Il sourit amèrement. Je lui propose de s'asseoir en face de moi. Il s'installe, gauchement, sans ôter sa casquette. Une serveuse vient. Il commande la même boisson que moi, un *kôcha* avec une tranche de citron. Quand la serveuse est partie, il me dit :

— Tsuyoshi, je suis désolé pour tous ces ennuis que je t'ai causés.

J'ai le cœur gros, je ne fais qu'un petit signe de la tête. Nous nous taisons quelques instants. Il me demande :

— Au fait, comment as-tu trouvé mon numéro de téléphone?

Je réponds, un peu gêné :

— Je l'ai appris par un ami.

— Un ami? Comment ça?

— Il était dans le même restaurant japonais que toi, à Los Angeles, il y a quelques semaines. Il connaît bien le propriétaire.

— Mon Dieu...

Mon père a l'air embarrassé. Je lui dis que mon ami a reconnu son visage grâce à la vieille photo que je lui avais déjà donnée. Il murmure : «Incroyable...» J'ajoute :

— C'est un journaliste.

— Journaliste?

Son regard se durcit. Je dis aussitôt :

— Ne t'inquiète pas, c'est un homme discret. Nous sommes amis depuis des années.

Il reste silencieux, la tête baissée. Comme ses cheveux sont couverts par sa casquette, je ne vois que ceux derrière ses oreilles, tout blancs. Tout à coup, l'image de ma mère me traverse l'esprit. Les yeux écarquillés, elle me crie : «Où est Banzô-*san*? Cherche-le maintenant!» Troublé, je tourne la tête vers la fenêtre.

La serveuse apporte à mon père son *kôcha*. Il met deux cuillerées de sucre dans sa tasse. Je me rappelle qu'il était friand de sucreries. Je demande, en jouant avec ma tasse vide :

— Ton voyage à Los Angeles, comment s'est-il passé?

— Mon voyage?

Il me regarde, l'air gêné. Je regrette d'avoir posé cette question. Il boit son *kôcha* d'une traite.

— Sortons d'ici. Il y a un parc au bout de cette rue.

Mon père sort du café pendant que je passe à la caisse.

Les trottoirs sont toujours bondés de promeneurs. Nous marchons jusqu'au parc sans dire un mot. C'est un petit parc entouré d'une jolie haie. Au milieu se trouve une plate-bande ronde remplie de chrysanthèmes, dont plus de la moitié sont fanés, comme pour signaler la fin de l'automne. Il n'y a personne autour de nous.

Nous sommes assis sur un banc, l'un à côté de l'autre. Mon père lève les yeux vers le ciel bleu et demeure ainsi quelques instants. Je pense à la photo de la famille que j'ai apportée pour lui. Je voudrais bien lui la montrer, mais il me semble que ce n'est pas le moment. Je me sens étrange : il n'a pas encore parlé de sa famille. Il dit, sans me regarder :

— Je suis revenu de Sibérie en 1947.

— En 1947?

— Oui...

Il se tait. Je réfléchis. C'était deux ans après la fin de la guerre. Ça veut dire qu'il était déjà au Japon alors que ma mère et moi courions partout pour obtenir des informations sur son sort. Chaque fois que nous sommes rentrés à la maison sans nouvelles, mon frère et mes sœurs étaient très déçus. Néanmoins, ma mère les encourageait à ne jamais perdre espoir en répétant : «Votre père est un homme très fort physiquement et mentalement. Il échappera à la mort, même en Sibérie.»

Je vois le visage inexpressif de mon père et je voudrais bien lui adresser quelques reproches : «Père, pourquoi as-tu disparu ainsi?» Je respire lentement pour me maîtriser. Il faut que je m'abstienne de lui poser des questions si je veux en savoir plus. C'est le conseil de ma femme. J'attends qu'il continue de parler. La brise souffle. Les fleurs de chrysanthèmes frémissent légèrement. Il dit :

— La vie en Sibérie était dure.

Je murmure :

— Ça devait l'être, bien sûr…

Je me tais en songeant à ma vie de l'époque, qui devait être plus dure que la sienne. Envoyé au front aux Philippines, j'ai échappé par miracle à la mort. Une fois revenu au Japon, j'ai dû recommencer à zéro. J'ai abandonné mes études universitaires pour aider ma mère qui devait s'occuper de mon frère et mes deux sœurs encore jeunes.

— J'ai commis un crime, dit-il.

« Crime ? » C'est un mot tout à fait inattendu. Pris au dépourvu, je regarde autour de nous pour savoir si personne ne nous écoute. Je demande :

— Quel crime as-tu commis ?

Il répond, le ton lourd :

— J'ai tué un soldat japonais.

« Quoi ? Tué un soldat japonais ? » Des frissons me passent par tout le corps. Je poursuis :

— Où ça ?

— Dans le bateau revenant de Sibérie.

Je suis abasourdi. Il baisse la tête. Je regarde le grain de beauté sur sa nuque, qui me fait penser à Satoshi. « Mon père a tué un soldat japonais… » Je me rappelle une histoire bizarre que Kôji m'a racontée il y a longtemps. Il s'agissait de la différence entre le nombre de noms sur la liste d'embarquement à Nakhodka et celle du débarquement à Maïzuru. Cela signifie qu'il y a eu des morts durant le voyage…

Mon père respire profondément. Je vois les chrysanthèmes à moitié flétris et j'entends la voix de ma mère : « Ah, te voilà, Banzô-*san* ! » Au bout de quelques instants, il sort une enveloppe de sa poche. Il dit en me la tendant :

— Comme je ne sais pas toujours bien m'exprimer, j'ai écrit ce que je voulais te raconter.

Je vois l'enveloppe, sur laquelle rien n'est écrit. Il dit :

— Tu peux lire maintenant.

Je l'ouvre. Elle contient plus d'une dizaine de feuillets. Son écriture, qui n'a pas changé, évoque en moi l'époque où il m'écrivait régulièrement de Mandchourie. Je lui demande en regardant la première page :

— Quand as-tu écrit tout ça?

Il répond, l'air embarrassé :

— J'ai commencé mercredi dernier, après avoir parlé avec toi au téléphone. Il m'a fallu trois jours. J'ai terminé hier soir.

Je me mets à lire, le cœur gros.

«Nous étions au port de Nakhodka, au mois de septembre. Le ciel était clair, mais il faisait déjà froid. Devant nous était amarré le gros bateau japonais qui allait bientôt nous ramener au pays.

Je montais la passerelle. Mon cœur palpitait, mes genoux et ma main tenant la rampe tremblaient. Derrière moi suivait Ken, avec qui j'avais passé huit mois dans un camp situé dans la région de S. Dans ma nervosité, j'ai chancelé. Aussitôt, Ken m'a pris par le bras en me chuchotant : "Courage, monsieur Toda ! On est presque arrivés !" J'ai souri, mais il m'était encore difficile de croire qu'on allait enfin quitter la Sibérie, ce vaste territoire pitoyable où j'avais vécu deux ans et où beaucoup de nos compatriotes étaient morts.

En montant sur le pont, nous avons rencontré des marins japonais, qui nous saluaient d'un sourire chaleureux. J'ai été ému. Ken a poussé un cri de joie : "On est au Japon !" J'ai regardé vers le quai, où deux officiers soviétiques interrogeaient les derniers rapatriés avant de les laisser embarquer. J'ai dit à Ken que ces officiers allaient nous accompagner et que nous serions toujours sous leur surveillance. Il ne faudrait pas relâcher notre vigilance jusqu'à ce qu'ils quittent le bateau. Trop excité, Ken ne m'écoutait pas sérieusement et répétait : "On est au Japon !" J'ai dit d'une voix forte : "Ces officiers russes comprennent le japonais. Ne dis rien devant eux contre l'Union soviétique. J'ai entendu une rumeur selon laquelle des gens ont été renvoyés aux camps même après leur embarquement." Le visage de Ken a pâli.

Sur le bateau, nous étions trois mille. On nous a d'abord demandé de descendre dans la soute pour nous trouver une place. En fait, c'était un cargo et il n'y avait pas de sièges. Après y avoir posé nos petits sacs, Ken et moi sommes remontés sur le pont afin de voir la Sibérie pour la dernière fois.

Du pont, on a vu les deux officiers soviétiques monter sur la passerelle d'embarquement, qui fut bientôt relevée. Sur le bateau régnait toujours un grand silence tendu. Il était difficile de croire qu'il y avait autant de gens. Le visage toujours pâle, Ken regardait les officiers embarquer. Peu de temps après, le bateau a pris la mer. Le quai est resté presque désert. Personne ne nous disait : "Au revoir! Bon voyage!" Le port de Nakhodka s'éloignait lentement. La Sibérie s'étendait à l'infini, au loin brillait le soleil couchant, tout rouge. J'ai entendu un marin japonais dire qu'on arriverait à Maïzuru le surlendemain au matin. "Enfin..." Mon cœur se serrait.

Ken et moi sommes redescendus dans la soute.

Couché sur le dos, je pensais à ma femme, à mes chers quatre enfants et à mes vieux parents. Je croyais que ma femme et mes trois enfants, qui m'avaient accompagné en Mandchourie, étaient sains et saufs avec mes parents à la campagne, dans la préfecture de Saïtama. Pour la sécurité de ma famille, j'avais dû dire à ta mère de quitter la Mandchourie avec les enfants le plus tôt possible, sans moi. J'avais prévu la défaite du Japon. Ta mère avait été attristée de ma décision, mais j'avais insisté pour qu'elle m'obéisse. Quant à toi, qui avais été envoyé aux Philippines, je n'avais aucune idée de ton sort. Très inquiet, je ne pouvais pas me réjouir complètement de mon retour au pays.

On ne savait pas combien de temps s'était écoulé depuis la sortie du port de Nakhodka quand le bateau s'est soudainement arrêté. Tout le monde restait silencieux. J'ai craint un instant que le bateau ne retourne à Nakhodka. Quelqu'un a crié en regardant dehors par un petit hublot : "Les officiers russes descendent dans le chaland !" Nous étions rendus à la limite des eaux territoriales. On a poussé un cri de joie : "C'est le Japon maintenant ! Nous sommes enfin libres !" Comme tout le monde, Ken et moi avons pleuré en nous étreignant. »

«Comme je l'ai mentionné au début, j'ai rencontré Ken dans un camp de la région de S. Nous y avons travaillé entre le début de 1946 et la fin de l'été de la même année.

Ken est né la même année que toi, Tsuyoshi. Il habitait à Harbin, en Mandchourie, et travaillait dans un restaurant. À la fin de la guerre, il a été déporté en Sibérie comme moi alors qu'il n'était pas soldat. Son œil droit était atteint de cécité.

Nous avons été très heureux lorsque nous nous sommes retrouvés au port de Nakhodka. Il m'a dit : "Quel bonheur, monsieur Toda ! On peut retourner ensemble au pays." Il se souvenait toujours de l'adresse de mes parents, que je lui avais fait apprendre par cœur, parce qu'il n'y avait ni crayon ni papier au camp.

Ce soir-là, dans la soute, Ken m'a parlé de ses parents, qui tenaient un petit restaurant de cuisine familiale à Fukuoka, où il est né. Le bénéfice n'était pas grand, mais la famille pouvait en vivre tant bien que mal. Malheureusement, la ville de Fukuoka avait été détruite par les bombardements américains, comme la plupart des villes du pays. Ken était inquiet pour eux.

C'était déjà un miracle et un bonheur à nos yeux de nous retrouver vivants sur le même bateau. Pourtant, ce retour au pays a aussi décidé de ma vie et de sa vie. »

«Le lendemain matin, le temps était nuageux. Pour prendre l'air, je suis remonté sur le pont avec Ken. Nous regardions la mer du Japon. On ne voyait que de l'eau bleue, rien de plus, à perte de vue. Ken s'est exclamé : "Quelle paix!"

Au bout de quelques instants, Ken m'a dit : "Regardez là-bas, monsieur Toda." À cinq ou six mètres de nous, trois hommes conversaient. Le visage de l'un d'eux m'était familier. Je me suis écrié : "Ah! C'est le préposé au travail...!" Ken m'a chuchoté : "C'est bien lui, n'est-ce pas?" Tout d'un coup, l'homme en question a ri. Sa voix m'a fait frissonner. Il nous a jeté un coup d'œil sans paraître nous remarquer.

Tsuyoshi, je ne veux pas te dire le nom de cet homme, parce que c'est lui que j'ai tué. Je l'appellerai simplement H.

H. parlait avec les deux autres, de bonne humeur. Il n'était pas émacié comme nous. Au contraire, il était rondelet. Difficile d'imaginer qu'il avait aussi été victime des travaux forcés en Sibérie! En fait, il n'était que caporal-chef. H. a dit aux deux hommes : "Je travaillais dans un hôpital... Non, je ne suis pas médecin. Ma tâche consistait à surveiller nos soldats malades. Je devais négocier avec les officiers russes afin d'obtenir suffisamment de nourriture pour nos compatriotes..." L'un des deux hommes a dit : "Quelle chance! Dans notre camp, nous n'étions pas protégés ainsi. On avait tout le temps faim." H. a dit : "En principe, c'était le devoir de nos officiers japonais, mais ils n'ont rien fait." Le deuxième homme a demandé à H. : "Vous comprenez alors le russe?" H. a répondu en souriant : "Oui. Je l'ai appris un peu à l'université, mais il y a longtemps." Le deuxième a demandé à H. : "Mais comment les Russes ont-ils laissé partir quelqu'un d'utile comme vous?" H. a ri : "Utile? Mais non! Mon russe est sujet à caution!"

Ken a murmuré, l'air fâché : "Quel menteur! Je hais cet homme à mort, je n'oublierai jamais ce qu'il a fait à ses compatriotes." Je lui ai dit : "Moi non plus, je n'oublierai jamais sa conduite. Mais quelle ironie que nous soyons sur le même bateau que lui."

Les travaux forcés étaient épouvantables. Je ne sais combien de soldats japonais sont morts autour de moi. Les souffrances dues à la faim, au froid rigoureux en hiver et même à la chaleur suffocante en été. Tout cela dépassait notre imagination. C'était déjà incroyable que je puisse revenir vivant au Japon. Ce seul fait aurait dû être suffisant et j'aurais dû apprécier pleinement mon sort en pensant aux autres qui ont crevé comme des chiens. »

«Au camp dans la région de S., où j'ai rencontré Ken pour la première fois, on travaillait à l'abattage d'une forêt. La nourriture était tous les jours la même : un bouillon de *kôryan* ou de millet avec un morceau de pain noir, dur comme de la pierre. La quantité était minime. Nous avions tout le temps faim. D'ailleurs, il fallait surveiller notre ration pour ne pas se la faire voler par les soldats russes.

Un jour, Ken a été frappé d'une forte fièvre : il avait été touché par une sérieuse scarlatine. On l'a envoyé à l'hôpital des camps, situé dans la même région. Quelques jours plus tard, je me suis blessé au bras, écrasé par l'écroulement d'un gros arbre. Alors j'ai aussi été emmené à l'hôpital. "Monsieur Toda !" Ken était surpris de me revoir. Il allait un peu mieux. Nous étions dans la même chambre avec une dizaine de soldats japonais. La nourriture de l'hôpital était au moins meilleure que celle du camp.

J'étais content de ne pas avoir besoin de travailler pour quelque temps. Mais je me suis rendu compte que rester couché n'était pas facile non plus. Tous les jours, des compatriotes mouraient, les uns après les autres. Des gens y étaient arrivés déjà affaiblis, victimes d'inanition. Un jour, un jeune homme est mort à côté de moi. Il a rendu le dernier souffle en appelant ses parents d'une voix fluette : "Papa… Maman…" Ce soir-là, j'ai eu des cauchemars. Dans mon rêve, tu étais mort sur un champ de bataille. J'ai crié tout haut : «Tsuyoshi ! Tsuyoshi !» Inquiet, Ken m'a réveillé.

J'ai bientôt appris qu'à cet hôpital, tous les cadavres étaient utilisés pour des recherches menées par des médecins militaires. J'étais terrifié en pensant que mon corps serait aussi disséqué, vivant ou mort, pour leurs expériences scientifiques.

Ici, nous étions mis sous la garde de H., qui était un soldat comme tout le monde, sauf Ken et moi qui étions des civils. Il exerçait un pouvoir absolu. Si l'on disait quelque chose qui l'irritait, quoi que ce soit, on pouvait être renvoyé au travail avant d'être rétabli. Il était chargé d'organiser des équipes avec des hommes guéris afin de les envoyer à la ville, où ils devaient transporter des bagages à l'arrivée des trains.

H. était arrogant et impitoyable, tout le monde le détestait. C'était un homme d'une trentaine d'années, beaucoup plus jeune que moi. Quand il est entré dans notre chambre, il s'est comporté comme s'il avait été officier de l'armée japonaise. D'ailleurs, il nous a forcés à travailler pour plaire aux officiers russes. Il s'entendait bien avec les officiers japonais, qui n'ont rien fait pour nous protéger. »

« Un jour, H. m'a dit :

— Le médecin m'a dit que ton bras est presque remis. Tu peux travailler un peu aujourd'hui.

Mon bras me faisait encore mal quand je le bougeais, mais je devais obéir. Il m'a souri :

— Ne t'inquiète pas. C'est une tâche légère. Tu apprécieras.

À la sortie du bâtiment, je me suis mêlé à un groupe de neuf hommes dont la fièvre avait baissé ce matin-là. Ken était aussi parmi nous. Je lui ai demandé où nous allions. Il m'a répondu, l'air déprimé :

— À la salle de dissection. Notre tâche consiste à transporter au cimetière les dépouilles de nos compatriotes utilisées pour les recherches des Soviétiques. Je l'ai déjà fait trois fois. J'ai vomi au début.

C'était en été, il faisait humide et chaud. Nous sommes arrivés à un terrain inoccupé près de l'hôpital, où j'ai aperçu un toit très bas, presque au niveau du sol. H. nous a dit de descendre à la cave. L'intérieur était sombre. Au milieu de la pièce, on voyait une table en métal, très propre. Par terre gisaient trois cadavres nus, comme s'il s'était agi de déchets. Les ventres étaient négligemment cousus de fil sale, les entrailles sortaient entre les coutures. J'ai failli vomir à mon tour. Une tête était coupée en deux, par le milieu. Cette image m'a rappelé un *zakuro* ouvert, dont les grains sont tout rouges.

H. a crié à tout le monde :

— Montez tout en haut ! Un camion viendra bientôt les ramasser.

J'ai cherché de quoi couvrir les cadavres et trouvé plusieurs tissus blancs accrochés au mur. J'ai demandé à H. :

— Peut-on envelopper les corps dans ces tissus, au moins ?

Il a répondu sèchement :

— Non. Les tissus sont précieux, on ne peut pas en gaspiller pour eux.

J'ai dit :

— Mais ce sont nos compatriotes…

Trop tard. H. m'a frappé au visage :

— Tais-toi !

H. s'est assis sur une chaise et s'est mis à fumer. On a commencé à déplacer les cadavres. Ken avait de la compassion pour moi. Il m'a chuchoté, en désignant H. des yeux : “Quel imbécile !” Lui, un autre et moi avons pris un cadavre ensemble. Dès que Ken a remarqué ma difficulté à bouger le bras droit, il m'a laissé prendre les pieds du cadavre. À la sortie de la cave, il m'a dit : "H. est un vrai sadique. C'est le fils d'un politicien et il souhaite aussi le devenir, à son retour. Je m'inquiète pour l'avenir de notre pays."

Un camion est arrivé, transportant un soldat russe. H. est reparti à l'hôpital. On a embarqué les cadavres dans le camion, puis le soldat nous a crié d'y monter. Le chemin était inégal. Le camion a tressauté tout au long du trajet. C'était épouvantable de regarder les cadavres s'agiter, tout nus, le ventre et la tête coupés, les yeux et la bouche ouverts, comme s'ils étaient encore vivants.

On est arrivés au cimetière, où se trouvaient déjà des centaines de tombes. Chacune était marquée d'une croix blanche sur son tertre. J'ai vu sur la croix le nom et le matricule d'un mort écrits en russe. Ken m'a dit qu'il s'agissait d'un cimetière réservé aux soldats japonais. Cela m'a beaucoup déprimé. J'ai pensé qu'un jour j'y serais enterré à mon tour.

Le soldat russe a crié après nous en désignant de son fusil trois places. On a commencé à creuser avec des pelles. Le sol était dur. Ken restait à côté de moi pour m'aider. Le soldat russe m'a dit quelque chose et il est aussitôt remonté dans le camion, d'où il nous surveillait en fumant. Je n'ai pas compris ce qu'il m'a dit. Quelqu'un m'a taquiné : "Il a peut-être dit que vous avez de la chance, car aujourd'hui il n'y a que trois cadavres à enterrer. Hier, il y en avait quinze !"

C'était terrible d'ensevelir ces cadavres nus et tailladés en tous sens. Tout le monde s'est dépêché de jeter de la terre sur eux. Nous avons quand même prié les mains jointes, devant les masses de terre. Le soldat russe nous regardait, l'air étrange. Je pensais aux familles de ces morts, qui attendaient leur retour au Japon. "Qui pourrait imaginer qu'on a traité ainsi le corps de son mari, de son père, de son fils, de son frère… ?"

Bientôt, un médecin militaire russe est arrivé avec trois croix blanches, où étaient écrits les noms et les matricules des morts. Il a parlé au soldat russe, qui lui a indiqué les trois masses de terre que nous venions de faire. Ensuite, il y a piqué les croix, l'une après l'autre. Après quoi, il a inscrit quelque chose sur un papier qui semblait être la liste des morts. Son geste était tout à fait administratif. Nous le regardions en silence. À vrai dire, ce n'était pas sûr que le soldat russe connaisse la différence entre chaque cadavre, il avait tout le temps évité de les regarder.

Nous sommes revenus à l'hôpital, morts de faim. Il nous fallait manger même après une tâche pareille. Pourtant, H. m'a dit :

— Toi, tu sauteras un repas. C'est ta punition pour avoir répliqué à mon ordre.

Ça m'a choqué. H. a crié aux autres :

— La prochaine fois, ce sera vous tous qui serez punis ensemble !

Tout le monde a pâli. Mon sang bouillait. S'il n'y avait eu personne autour de nous, je l'aurais frappé à coups de poing. Il est parti en sifflant.

Ken m'a apporté plus tard des morceaux de pommes de terre qu'il avait cachés sous son vêtement. J'en ai été très ému. Chacun recevait une quantité de nourriture limitée et personne ne voulait partager sa ration. Néanmoins, Ken m'a dit : "Je suis désolé, monsieur Toda. Ce ne sera pas assez pour vous, mais prenez-les."

Ce soir-là, j'ai appris que H. était parti en emportant un sac plein de nourriture : une femme russe l'attendait à l'extérieur de l'hôpital.

J'ai dû faire plusieurs fois le transport des cadavres. Une tâche très déprimante pour quiconque, surtout pour nous qui étions en train de nous remettre d'une maladie ou d'une blessure. Pourtant, ce qui me déprimait le plus, c'était l'existence de H., qui n'avait aucune compassion pour ses compatriotes. J'étais aussi déçu de l'attitude des officiers japonais que j'avais rencontrés aux camps, qui n'avaient rien fait pour au moins assurer le ravitaillement de leurs soldats.

Je suis resté à l'hôpital trois semaines. Après quoi, j'ai été renvoyé dans le camp d'une autre région, dont la ville la plus importante était Bukačača. Le jour de mon départ, j'ai remercié Ken pour toute l'aide qu'il m'avait apportée et je lui ai dit de me contacter chez mes parents à son retour. Il a souri : "Bien sûr, je vous reverrai si je suis encore vivant !" Il devait demeurer encore quelques jours à l'hôpital. »

«C'était le soir du deuxième jour sur le bateau, après le départ de Nakhodka. Le bateau naviguait tranquillement sur la mer du Japon, l'Union soviétique semblait bien loin maintenant. On était au Japon, sans aucun doute, nous n'avions plus rien à craindre. L'armée japonaise n'existait plus. Ici, personne n'avait le doit de nous donner d'ordre. Nous étions libres du système militaire japonais, qui réglementait même les camps de travaux forcés.

Encore exalté, j'avais de la difficulté à dormir. Je pensais à toi, à ton petit frère, à tes petites sœurs, à ta mère et à mes parents. Ken m'avait posé des questions sur ma famille. Quand je lui ai dit avoir un fils qui s'appelait Tsuyoshi, du même âge que lui, il a aussitôt manifesté le désir de te rencontrer.

Ken m'a aussi demandé comment était ma femme. J'ai souri : "Son visage ressemble un peu à celui de Yoshiko

Okada." Il s'est exclamé : "Alors, votre femme doit être très belle!" J'ai souri : "Certainement!" Il a dit : "Mais cette actrice devait être folle. Si elle avait connu la réalité de l'Union soviétique, elle n'y serait jamais allée. Belle, mais trop naïve. Honnêtement, je ne l'aime pas beaucoup." J'ai dit : "Ma femme est belle, mais elle n'est pas naïve comme cette actrice. C'est une personne intelligente et réaliste."

Ken était curieux de savoir comment j'avais rencontré ma femme. Sa question m'a gêné, mais j'ai accepté de lui en parler en me rappelant la longue jupe blanche d'été de ta mère. Lorsqu'il a appris que ma femme avait quitté ses parents pour m'épouser, il s'est moqué de moi : "Alors, votre femme est aussi folle que Yoshiko Okada!" Je lui ai dit que ma femme s'appelait aussi Yoshiko et qu'elle était née la même année que l'actrice. Il a ri : "Quelles coïncidences!"

On ne voyait plus rien par les fenêtres et je me demandais quelle heure il était. Peut-être autour de onze heures du soir. Près de nous, des hommes se sont mis à dormir. Je n'avais pas encore sommeil et Ken non plus. On est remontés nous promener sur le pont. Il pleuvait légèrement et la mer était toute noire. Nous marchions sous de faibles lumières électriques. J'ai aperçu quelques marins qui nettoyaient le plancher. L'un d'eux nous a dit amicalement : "C'est glissant à cause de la pluie. Prenez garde de ne pas tomber." C'était le marin qui nous avait salués lors de l'embarquement. Ken a inspiré profondément et s'est exclamé : "Oui, c'est bien l'air japonais ! Quel bonheur !" Le marin souriait, le regard doux et sympathique.

Quelques minutes plus tard, lorsque Ken m'a dit avoir enfin sommeil, j'ai remarqué H., qui fumait, adossé contre le garde-fou. Ken l'a aperçu aussi : "Encore lui !" Il s'est demandé comment il avait pu obtenir sa cigarette, en ajoutant : "Monsieur Toda, donnons-lui un coup de poing, au moins une fois." Je fixais le visage de H. Il me revenait à l'esprit les images horribles des cadavres de nos compatriotes. Je revoyais la figure de H. criant : "Dépêchez-vous ! Travaillez fort !" Mon corps tremblait. Ma colère et ma haine contre lui, que j'avais tenté d'oublier, remontaient en moi. Mes pieds se sont dirigés malgré moi vers H. Ken m'a suivi. »

«H. nous a aperçus, mais son regard semblait indifférent. Il a jeté à la mer le reste de sa cigarette. Je lui ai demandé :

— Es-tu H.?

Il m'a regardé d'un air méfiant :

— Oui...

Je dis :

— Tu te souviens de l'hôpital dans la région de S.?

Il a changé de couleur. Il m'a demandé, poliment :

— Qu'est-ce que vous voulez?

Aussitôt, je lui ai décrit ce qu'il avait fait à nos compatriotes. Je criais fort. Comme je n'avais pas l'habitude de parler ainsi, je bégayais. H. se taisait, le visage crispé. Le marin que nous avions vu tout à l'heure est passé près de nous. Je l'ai ignoré et j'ai continué à blâmer H., qui avait l'air de plus en plus embarrassé. À la fin, j'ai demandé :

— C'est exact, n'est-ce pas?

Au lieu de me répondre oui, H. a pris subitement une attitude effrontée :

— J'ai fait ce que je devais faire en tant que responsable de nos compatriotes malades. Grâce à moi, tout le monde de l'hôpital a pu quitter la Sibérie très tôt, comme vous.

— Vraiment ?

J'ai avancé. Il a reculé en disant :

— La guerre est terminée. Il faut oublier le passé.

— Oui. Tu es capable d'oublier ton passé, mais pas moi.

Je l'ai saisi par le col de son vêtement. Il m'a menacé :

— Je vais appeler quelqu'un.

— Pour demander de l'aide ? Vas-y ! Je révélerai à tout le monde ce que tu as fait.

À ce moment, Ken m'a crié :

— C'est un imbécile ! Frappez-le !

De toutes mes forces, j'ai donné à H. un solide coup de poing. Il est tombé par terre. Ken s'est exclamé :

— Encore !

H. nous transperçait du regard. Ken lui a crié :

— Ne pense jamais devenir politicien ! Tu ne le mérites pas ! Compris ?

H. se taisait. Ken a poursuivi :

— Espèce de salaud ! Tu es fou ! Tu es crétin !

Il n'arrêtait pas et ses paroles devenaient de plus en plus vilaines. Je lui ai dit :

— Ça suffit. Descendons maintenant.

Je me suis mis à marcher. Soudain, H. s'est élancé sur Ken, qui est tombé en glissant sur le plancher mouillé. Il a cherché à l'étrangler, et Ken gémissait de douleur. Aussitôt, j'ai ramassé un bâton de bois et j'ai frappé la tête et le dos de H. de toutes mes forces. Il est retombé immobile. Ken s'est relevé :

— Merci, monsieur Toda. Je l'ai échappé belle.

H. ne bougeait plus. Ses yeux et sa bouche étaient ouverts. J'ai dit :

— Il est mort…

Ken est devenu tout blême :

— Mon Dieu…

Je regardais autour de nous. Je craignais que le marin ne revienne. Sans hésitation, j'ai tiré le corps de H. :

— Dépêchons-nous, Ken !

Ken a pris les pieds. Un instant, je me suis rappelé les cadavres que nous avions transportés au cimetière. Ken a murmuré :

— Ce sera notre dernière tâche en tant que prisonniers…

Nous avons hissé le corps de H. sur le garde-fou. Il était tellement lourd qu'on devait conjuguer nos efforts : "Un, deux, trois !" "Oh, hisse !" Enfin, on a réussi à le pousser à l'extérieur du pont. Il est tombé, tête la première dans la mer noire du Japon… »

Je replie les feuillets et les remets dans l'enveloppe. Immobile, mon père fixe les chrysanthèmes fanés. En regardant le grain de beauté sur sa nuque, je pense à Satoshi, son petit-fils, qui m'a dit qu'il ne savait pas que ce grain de beauté était héréditaire. Je dis à mon père :

— Sauf Ken, personne ne sait que tu as tué H., n'est-ce pas?

— J'espère que non. Pourtant, le marin nous a vus tous les trois ensemble. Il passait devant nous alors que j'engueulais H. Il aurait pu le dire s'il y avait eu une enquête sur la disparition de H.

Je comprends que mon père n'avait certainement pas l'intention de tuer H. Je dis :

— Personne n'est venu chez nous te chercher.

— C'est parce que mon nom n'était pas inscrit sur la liste des rapatriés.

Je suis confus :

— Qu'est-ce que ça veut dire?

Mon père dit :

— Je n'ai pas donné mon véritable nom, Banzô Toda, lors du débarquement au port de Maïzuru.

— Comment ça? J'ai entendu dire que les autorités soviétiques avaient remis la liste de tous les noms des rapatriés du bateau.

— C'est exact, mais ils étaient écrits en russe.

«En russe?» Selon lui, les noms étaient mal écrits parce qu'ils étaient mal prononcés. Il y avait même les noms de gens qui n'étaient pas sur le bateau. Alors, mon père en a profité pour déclarer un nom différent. En tout cas, ajoute-t-il, à l'époque, tout était encore chaotique et de telles choses n'étaient pas rares. Je lui demande s'il n'a pas tenté de prendre le risque de revenir à la maison, je veux dire chez nous et chez ses parents, qui étaient alors encore vivants à la campagne de Saïtama.

— Bien sûr que oui. Je voulais voir ma famille, mais...

Il s'arrête. J'attends. L'image de ma mère me revient toujours à l'esprit. «Où est Banzô-*san*?» Je me demande à quoi elle pense maintenant dans son lit.

Mon père dit que dans un logement du port de Maïzuru, il a vu la famille de H., sa femme et ses deux filles. Il a entendu un responsable du logement dire qu'elles y revenaient chaque fois qu'un bateau arrivait de Nakhodka. Les filles avaient l'air d'avoir trois et cinq ans. Leurs visages candides lui rappelaient ses propres filles.

— Quand j'ai vu ces filles, dit mon père, j'ai décidé de ne pas rentrer à la maison.

Il lève les yeux vers le ciel bleu. Il murmure : «Il fait beau, incroyablement beau…» Je lui demande :

— Comment le père de Ken s'appelle-t-il ?

Il répond, calmement :

— Eiji Satô…

«Je m'en doutais…» Cela explique comment il en est arrivé à porter ce nom.

À Maïzuru, lui et Ken se sont quittés. Ken est retourné à Fukuoka, son pays natal. Avant de quitter mon père, Ken lui a donné l'adresse de ses parents. Quant à mon père, il est allé à Osaka, où l'on reconstruisait la ville, détruite par les bombardements américains. Il a choisi ce lieu parce que personne de sa famille n'y vivait et que ce ne serait pas difficile d'y trouver un emploi. Là, il a travaillé comme ouvrier à la journée, en utilisant un faux nom. À l'époque, personne ne lui posait de questions sur son identité.

Tout le monde était occupé à survivre. Il a envoyé à Ken sa nouvelle adresse.

Ken a écrit à mon père que son père avait disparu pendant les bombardements et que sa mère n'avait pas encore fait sa déclaration de décès en espérant qu'il soit toujours vivant. Ken a raconté à sa mère ce qui était arrivé sur le bateau. Sa mère a été bouleversée. «Cet homme a tué le méchant H. pour sauver mon fils ! Oh, pauvre de lui !»

Un jour, Ken est venu voir mon père à Osaka. Il lui a suggéré une combine inhabituelle : utiliser le nom de son père. «Monsieur Toda, a-t-il dit, je comprends que vous voulez protéger votre famille en portant un faux nom, mais vous ne pouvez pas vivre ainsi longtemps, je veux dire sans papiers officiels. Avec l'identité de mon père, vous n'aurez pas à vous cacher des autorités. C'est ce que j'ai proposé à ma mère qui voudrait vous aider à sortir de cette situation. Elle est d'accord avec moi. Vous pourrez rester seul comme maintenant. Si vous souhaitez habiter avec nous, j'en serais heureux. Dans ce cas, nous déménagerons de Fukuoka. De toute façon, le restaurant n'existe plus, tout a été brûlé. Ne vous inquiétez pas pour ma famille. Nous ne sommes pas originaires de cette région. En fait, l'homme qui a disparu était mon père adoptif. Ma mère s'est remariée avec lui quand j'avais quatorze ans. Mon vrai père est mort il y a longtemps.»

Je dis à mon père :

— Tu es libre. Le nom de Banzô Toda n'existe pas non plus dans ton *koseki*.

Il dit :

— C'est bien, c'est bien comme ça. Tout le monde croit que je suis mort.

— Sauf ma mère, dis-je.

Mon père baisse la tête. Je sors une enveloppe de ma pochette.

— C'est pour toi, dis-je.

— Qu'est-ce que c'est?

— Ouvre-la.

Il regarde la photo de notre famille, longuement. Je dis :

— Nous sommes quatorze. Tu as cinq petits-enfants.

— Je le sais, dit-il.

— Pardon?

— J'ai cherché ton adresse dans l'annuaire téléphonique. Un jour, je suis allé près de chez toi et j'ai vu mes enfants et mes petits-enfants sortir de la maison. Ta mère, ta femme et toi étiez à l'entrée quand ils sont partis.

Je suis surpris :

— Alors, tu nous as déjà vus…

— Oui. Mais c'était avant que ta mère ne tombe malade.

Il regarde de nouveau la photo. Mon cœur est serré. Je vois l'image de mon père se tenant debout devant ma maison où toute sa famille est réunie. Cette image me rappelle l'histoire de Kôji, qui est allé voir en cachette sa première femme remariée avec un Américain. Mon père me dit :

— Merci beaucoup, Tsuyoshi, pour tout ce que tu as fait pour ton petit frère, tes petites sœurs et ta mère. C'est ta famille maintenant. Je n'ai pas l'intention de te déranger. Je voudrais partir du Japon sans voir personne.

Ses paroles me vont droit au cœur. Je dis :

— Je comprends, mais comme je t'ai dit au téléphone, je veux que tu voies ma mère, au moins une fois, avant de quitter le pays. J'essayerai d'arranger cette rencontre de la façon la plus discrète.

Mon père me fait un signe de la tête.

Je descends du premier étage une boîte de carton ondulé, celle-là même qui contient les vêtements de mon père. Je la pose sur les tatamis. Ma femme les sort, en les dépliant l'un après l'autre. Un parka, un blouson long, des chandails, des pantalons, des ceintures… Je les regarde en me rappelant un rêve que j'ai fait il y a quelques semaines. Dans ce rêve, ma mère faisait aérer ces vêtements dans le jardin.

Ma femme me dit, en caressant un chandail :

— Tous sont en bon état.

Je murmure :

— Tout à fait…

Ma mère me disait que mon père les avait achetés dans les années trente. Lorsqu'il est parti en Mandchourie en 1942 avec ma mère, mon frère et mes sœurs, il a laissé ces vêtements à leur maison de Tokyo. Au retour de Mandchourie, trois ans plus tard, ma mère les a transportés avec elle à la campagne, où les parents de mon père habitaient. La maison de Tokyo a été incendiée peu après par les bombardements américains. Ma mère me disait : « Je suis contente d'avoir sauvé au moins les vêtements de ton père. »

Ma femme dit :

— Je me souviens que ta mère les aérait deux fois l'an quand il faisait beau.

— Oui, dis-je. Ça s'est répété pendant plus de vingt ans, jusqu'à ce qu'elle tombe malade.

Mon père sera très surpris quand il verra ces vêtements. J'espère qu'il les reprendra, que ça lui plaise ou non.

Je me demande où emmener mes parents pour leur rencontre. Puisque mon père doit rester invisible, la résidence de ma mère ne convient pas. Le mieux, ce serait chez nous. Pourtant ma mère refuse maintenant de se déplacer où que ce soit. Elle insiste : « Bientôt, Banzô-*san* viendra me voir ici. Je ne dois pas sortir. »

Aujourd'hui, après mon travail, je suis allé à la résidence de ma mère. Avant de monter à sa chambre, j'ai parlé au médecin de service. Il m'a dit que ma mère demeurait au lit plus longtemps qu'avant, même si elle ne dormait plus régulièrement. Je lui ai dit souhaiter l'emmener chez moi ce week-end. Il a dit : « Aucun problème. Seulement, laissez-la se reposer dans une pièce tranquille.» Cependant, il doutait que ma mère accepte de quitter sa chambre. «Vous savez bien, monsieur Toda. Votre mère affirme toujours attendre son mari dans sa chambre, comme vous l'en avez convaincue en l'amenant à la résidence.»

Je regarde de nouveau les vêtements de mon père. Je décide de demander à mon père de communiquer avec ma mère par téléphone.

J'ouvre la porte. Ma mère semble dormir. Doucement, j'entre dans sa chambre et m'installe dans le fauteuil posé contre le mur de l'entrée. Il est huit heures du soir. J'attends qu'elle se réveille.

Je vois le visage de ma mère. Sa respiration est si faible que je crains un instant qu'elle ne soit morte. Je suis soulagé en apercevant bouger la partie de la couverture qui couvre sa poitrine. Sur la table à côté du lit se trouve un *zakuro,* que Satoshi a apporté. Sa peau n'est plus fraîche et la couleur rouge est passée. En fait, il n'y en a plus dans l'arbre de notre jardin.

Je suis distrait un instant par la couleur du *zakuro.* Le rouge évoque le drapeau de l'Union soviétique : la couleur du sang. Mon père a écrit qu'il s'était rappelé ce fruit en regardant la tête coupée d'un cadavre en deux. Je suis certain qu'il ne voudrait plus voir ces fruits ni en manger. Néanmoins, il a nommé son restaurant Zakuro. Je ne lui ai pas demandé pourquoi, mais je crois qu'il tente de ne pas oublier ses compatriotes qui sont morts si misérablement.

Je jette un coup d'œil vers l'appareil de téléphone fixé au mur. C'est un téléphone interne. Pour la communication extérieure, il faut passer par la réception. Je dois téléphoner à mon père dès que ma mère se réveille. Il est censé attendre mon appel chez lui.

L'autre jour, lorsque je lui ai dit de me contacter ici, à la résidence, il m'a demandé : «Mais je suis déjà mort en Sibérie. Comment puis-je me présenter à la réception?» J'ai répondu : «Dis à la réceptionniste que tu t'appelles monsieur Satô, un ami du fils de madame Toda.» Il a souri amèrement : «Alors, je suis ton ami maintenant...»

Ma mère se réveille. Je dis :

— Bonsoir, madame Toda.

Elle me demande, le regard distrait :

— Qui est-ce?

Je réponds :

— C'est Tsuyoshi.

Elle marmonne :

— Tsuyoshi...

Elle tourne la tête vers la fenêtre, les rideaux blancs ont été fermés. Je sors de la chambre, doucement. J'entre dans le salon où se trouvent des téléphones publics. Je compose le numéro de téléphone de mon père, qui me répond tout de suite. Au bout du fil, il me dit : «D'accord, Tsuyoshi. Je te rappellerai dans cinq minutes.» Sa voix me semble tendue.

Je reviens dans la chambre de ma mère. Je m'installe de nouveau dans le fauteuil. Quelques minutes plus tard, le téléphone interne sonne. Surprise, ma mère tressaille. Je décroche. Comme prévu, la réceptionniste me dit qu'un certain monsieur Satô souhaite me parler. On me passe la communication. Dès que j'entends la voix de mon père, je dis en articulant chaque mot :

— Allô. Oui, c'est bien chez madame Toda. Oui, elle est là. Vous êtes monsieur Banzô Toda? Un instant, s'il vous plaît.

Aussitôt, ma mère se redresse :

— Ban... Banzô-*san*!

«Ça marche!» Je suis tout excité. Elle me regarde, les yeux grand ouverts. En observant l'expression de son visage, je dis à mon père d'attendre un moment. Je dis à ma mère :

— C'est pour vous, madame Toda. Votre mari voudrait vous parler. Vous acceptez de lui adresser la parole maintenant?

Elle répond, la voix très claire :

— Mais oui!

Elle prend l'appareil, ses mains tremblent. Elle s'exclame :

— Banzô-*san*! Banzô-*san*! Ah, enfin!

«Quel changement!» Je suis étonné de sa réaction. Elle demande à mon père :

— As-tu fini ton voyage d'affaires en Mandchourie?

Elle se tait, elle écoute mon père parler, elle fait un signe de la tête comme une petite enfant. J'ai le cœur rempli d'émotion. Bientôt, elle se met à pousser des sanglots en répétant : «Oui, oui... » Je caresse son dos. Lorsqu'elle termine, elle me remet le récepteur, que je raccroche. Le visage tout mouillé de larmes, elle me dit :

— Banzô-*san* quitte Harbin aujourd'hui et rentrera à la maison ce week-end.

— C'est vrai? Alors, vous devez aussi rentrer à la maison!

— Bien sûr! Mais il m'a dit de n'en parler à personne parce qu'il ne veut voir que moi.

Je lui tends un mouchoir de papier. Elle essuie ses larmes en se répétant : «Quel bonheur!» Ensuite, elle s'allonge. Je l'aide à mettre sa couverture ouatée. Elle ferme les yeux. Je me dis : «Bonne nuit, maman.» J'éteins la lumière et sors de la chambre.

Ce soir, Kôji passe chez nous. Il dit, dès qu'il apprend l'histoire de mon père :

— Tant pis ! Ça pourrait être une nouvelle donnée en exclusivité !

Comme il a l'air très dépité, je lui dis :

— Tu pourrais écrire un roman à la place.

— Ne me taquine pas ! Je n'ai pas de talent pour le roman. C'est un autre métier.

En fait, il est content d'apprendre que mon père rencontrera ma mère avant de partir pour Los Angeles. Il manifeste beaucoup de pitié pour mon père.

— Pauvre de lui ! Je n'avais pas imaginé que son passé puisse être aussi lourd.

Kôji affirme que vingt-trois ans se sont écoulés depuis cette époque-là et que ce crime serait déjà prescrit même si on en avait connu l'existence. Ce que mon père a fait, c'était un acte de légitime défense. D'ailleurs, personne n'est venu le chercher jusqu'à maintenant. Il est pratiquement libre.

— Tu as raison, Kôji. Pourtant, même si on l'excuse, le meurtre est un meurtre. Mon père souhaite vivre sans en parler à personne, comme il l'a fait pendant toutes ces années.

Je réfléchis à ce que mon père a dit. Au port de Maïzuru, il a vu par hasard la femme et les enfants de H. Ça doit être dur pour lui, même maintenant, de se rappeler cette image qui évoque sa propre famille.

Kôji me parle d'un article intéressant écrit par un rapatrié de Sibérie. Celui-ci raconte ce qui s'est passé sur des bateaux revenant de Nakhodka. Ce rapatrié a vu un homme se faire jeter à la mer par un groupe de soldats alors que le bateau approchait du port de Maïzuru. Avec précipitation, il est allé avertir un marin. Il a été surpris quand ce dernier lui a dit : «Encore?» L'homme jeté à l'eau a été sauvé par des marins.

Je demande à Kôji :

— Des meurtres ont bel et bien été commis sur ces bateaux?

— Ce rapatrié n'a pas utilisé le mot «meurtre», mais il a entendu parler d'une expression étrange, «la liste de la mer du Japon», qui signifie le nombre des morts sur les bateaux, dus à la maladie, au suicide, ou bien…

Il s'arrête. Je demande :

— Tu veux dire que certaines morts étaient des vengeances, comme le cas de H. ?

— C'est possible… mais personne ne connaît la vérité.

Kôji me parle de la différence dans les comportements des rapatriés selon la période. Au début, les gens ont été très contents de revenir au Japon. Ils détestaient l'Union soviétique. Par contre, les gens qui sont revenus après 1948 étaient victimes d'un fort lavage de cerveau, d'un *minshu-undô*. Ils étaient devenus des marxistes-léninistes indécrottables. En arrivant à Maïzuru, ils ont choqué les gens qui les ont accueillis. Très arrogants, ils n'avaient pas l'air ému de revenir enfin dans leur pays. Heureusement, leur comportement bizarre n'a pas duré longtemps ; presque tout le monde est retourné à sa vie normale, comme avant. Pourtant, parler de l'expérience du *minshu-undô* est devenu tabou entre eux.

En l'écoutant, je me rends compte que mon père n'a pas manifesté de colère contre les Soviétiques alors qu'il est arrivé au début de l'opération du rapatriement. Au contraire, il m'a raconté un souvenir touchant de l'époque où il avait travaillé quelques semaines dans une ville située près de Bukačača.

«Je transportais des bagages à la gare. Un jour, une femme russe m'a apporté des pommes de terre cuites à l'eau. Elle avait l'âge de ma mère. J'ai été ému en me rappelant Ken qui avait partagé sa nourriture avec moi à l'hôpital. La femme me regardait manger, les yeux mouillés. Pour la remercier, j'ai chanté *Akatonbo*, la chanson favorite de ta mère. Cela a continué jusqu'à ce que je quitte la ville. Le jour de mon départ, elle m'a donné un gros sac de pommes de terre afin que j'aie de quoi manger dans le train. Elle a chanté avec moi *Akatonbo*. Je pleurais.»

Kôji me demande :

— Ton père regrette?

— Regrette quoi? Le meurtre? Bien sûr que oui.

— Néanmoins, il a purgé sa peine assez longtemps, il doit se sentir libre de son passé. D'ailleurs, on n'a jamais entendu d'histoires de gens traînés en justice à ce propos.

Je murmure :

— Mon père ne veut pas se justifier ainsi… Il m'a dit que même si H. méritait d'être puni, personne n'avait le droit de le tuer.

Le jour est arrivé. Je suis nerveux. Ce soir, à neuf heures, mon père est censé venir chez nous voir ma mère. Il ne conduit pas. Je lui ai offert d'aller le chercher à la gare, mais il a décliné ma proposition en disant qu'il prendrait un taxi à une station de métro, près de notre quartier. Ma mère est encore à sa résidence. Je dois aller la chercher bientôt. J'espère qu'elle me suivra sans problèmes.

Je souhaite que personne ne nous rende visite ce soir. Hier, Satoshi m'a téléphoné pour savoir s'il pourrait passer aujourd'hui chez nous, après son école. J'ai dû mentir en lui disant que ma femme et moi ne serions pas à la maison. Il m'a demandé où nous allions. J'ai répondu que nous nous promènerions avec ma mère en voiture. Il était étonné : «Grand-mère va se promener avec vous? Je croyais qu'elle refusait tout le temps de sortir de sa chambre.»

Je me rends à la résidence de ma mère. L'infirmière de service m'accueille avec un grand sourire :

— Votre mère vous attend avec impatience. Elle a hâte de rentrer à la maison.

Soulagé, je dis :

— C'est vrai?

— Oui. Depuis ce matin, elle a l'air de ne pas tenir en place.

Je demande, curieux :

— A-t-elle dit quelque chose à propos de ce soir?

— Oui. Elle m'a dit qu'elle allait rencontrer son amoureux de jeunesse. C'est chouette!

Je souris, touché par les mots «amoureux de jeunesse». Je suis aussi impressionné du fait que ma mère n'a pas dit à l'infirmière qu'il s'agissait de son mari. Elle tient bien parole à mon père : «Je ne vois que toi. Ne mentionne mon arrivée à personne.»

L'infirmière ajoute :

— Votre mère est belle aujourd'hui. Cet après-midi, je l'ai aidée à arranger sa coiffure.

— Merci, c'est gentil.

Je monte au premier étage, où se trouve la chambre de ma mère. Je suis sûr qu'elle est bien réveillée. Je frappe à sa porte.

— Entrez !

Ma mère me sourit, elle se lève du fauteuil, lentement. « Mère… » Mon cœur est serré. Elle porte la même chemise blanche et la même jupe longue blanche d'été que sur la photo ! La coiffure bien arrangée et le visage légèrement maquillé. Elle est jolie. Elle tient dans ses mains le *zakuro* que Satoshi lui a apporté il y a quelques semaines.

Ma mère dit :

— Je vais voir Banzô-*san* !

— Bien sûr, madame Toda. Je suis venu vous chercher.

Sa jupe est en coton. Nous sommes à la mi-novembre. Comme il fait froid, il faut mettre au moins un manteau léger. Quand je le lui explique, elle m'obéit docilement.

À la maison, ma femme nous attend. Quand nous sommes arrivés, j'ai vu qu'elle avait tout préparé pour la rencontre de mes parents. La maison est bien nettoyée. Des fleurs fraîches sont placées au *genkan*, au salon, dans les toilettes. C'est beau. Ma femme me propose d'utiliser la pièce de cérémonie du thé, dont les tatamis ont été récemment changés avec l'aide de Satoshi. C'est une pièce isolée des autres. Elle en avait déjà débarrassé tous les instruments nécessaires aux cérémonies du thé. Il n'y a plus maintenant qu'une table basse, deux *zabuton* et la boîte de vêtements de mon père. J'accepte sa proposition avec plaisir. Mes parents pourront se voir dans l'intimité.

Au salon, nous attendons l'arrivée de mon père. Ma mère est assise dans le fauteuil. Elle tient toujours le *zakuro* dans ses mains. Je regarde le contraste des couleurs : le blanc de sa jupe et le rouge du fruit. Le rond rouge sur le fond blanc évoque le drapeau du Japon. Je me demande qui a créé ce motif simple et beau.

On entend une voiture s'arrêter devant notre maison. Ça doit être le taxi de mon père. Ma mère me regarde, ses yeux brillent. J'ai le cœur qui bat à grands coups, je tente de garder mon sang-froid. On sonne à la porte. Ma mère se lève du fauteuil et ma femme l'aide à marcher vers l'entrée. J'ouvre la porte. Mon père apparaît :

— Bonsoir…

Il porte un pardessus brun et long. Je le salue :

— Banzô-*san,* merci beaucoup d'être venu ce soir. Voici ma femme.

Mon père s'incline devant elle :

— Enchanté, je m'appelle Banzô Toda.

Il enlève son pardessus. Je me dis : «Ah… !» Il porte un complet gilet-veston d'été blanc, comme sur la photo que ma mère nous a montrée. Aussitôt, ma mère s'écrie :

— Banzô-*san* !

Mon père lui sourit, elle s'approche de lui, lentement, comme si elle était une jeune fille. En ouvrant ses bras, il dit son nom : « Yoshiko ! » Ma mère se jette contre sa poitrine. Il la serre fortement dans ses bras. Ma mère se met à sangloter de joie. « Ah, Banzô-*san* ! Je suis heureuse que tu sois revenu sain et sauf... » Tous deux restent immobiles, longuement. Ma femme essuie ses yeux. Je retiens mes larmes avec effort.

Ma mère tend à mon père le *zakuro* :

— C'est pour toi, Banzô-*san* !

Mon père le reçoit, les yeux mouillés. Je l'entends murmurer : « Merci... de m'avoir attendu si longtemps. » Je conduis mes parents jusqu'à la pièce de cérémonie du thé afin qu'ils puissent être seuls.

Nous sommes à la mi-décembre. Il fait plus froid de jour en jour. Les chrysanthèmes de notre jardin sont tous flétris. Ma saison favorite est bien terminée. À regarder le ciel nuageux, je pense qu'il va bientôt neiger. Malgré tout, les moineaux gazouillent avec vivacité.

C'est dimanche, vers cinq heures de l'après-midi. Je me repose au salon en lisant le journal. Ma femme et Satoshi font la cuisine ensemble. Ce soir, toute la famille se réunit chez nous, sauf ma mère, qui n'est plus en mesure de sortir de sa résidence. Ce sera une soirée très animée, comme d'habitude.

Trois semaines se sont écoulées depuis que mon père est venu chez nous voir ma mère, après vingt-cinq années d'absence. Vendredi dernier, j'ai reçu de lui une lettre dans laquelle il m'informait qu'il venait de vendre sa maison et son restaurant. Lui, Ken et sa mère préparent leur émigration aux États-Unis. Mon père a aussi clarifié certaines choses à son sujet, qui me préoccupaient : il n'est pas cuisinier, il a travaillé presque vingt ans en tant que *dokata*, il ne comprend pas l'anglais, mais cela ne le dérangera pas parce qu'il va habiter dans un quartier où résident beaucoup de Japonais. À la fin, il a ajouté que Ken va se marier avec une *nisei* à Los Angeles. Le cousin de sa mère, qui y vit déjà comme immigrant, a présenté Ken à cette Américaine d'origine japonaise.

Mon père nous a remerciés, ma femme et moi, pour la soirée, en ajoutant qu'il emporterait à Los Angeles ses vieux vêtements que ma mère avait gardés. Il va nous envoyer sa nouvelle adresse lorsqu'il sera installé.

Quant à ma mère, elle est beaucoup plus calme qu'avant. Elle ne demande plus où se trouve Banzô-*san*. Je ne sais pas ce que mon père lui a dit l'autre jour, mais il est certain que sa visite a eu de bons effets sur sa santé. Elle m'a dit : « La prochaine fois, Banzô-*san* et moi, nous nous rencontrerons dans l'autre monde. Je suis heureuse d'y aller… » Je ne pouvais l'écouter sans pleurer. Son médecin m'a dit : « Vous avez bien pris soin d'elle chez vous. Je voudrais remercier aussi "son petit ami de jeunesse". »

Ma femme et Satoshi bavardent en faisant la cuisine. Ils préparent des yakitoris pour ce soir.

Je lis un article au sujet de la négociation entre Satô et Nixon. Il n'y a toujours pas de progrès sur la question des exportations de nos produits textiles. Je pense à ce que Kôji m'a dit l'autre jour à ce propos. Selon lui, le Japon a besoin de quelqu'un comme monsieur Tanaka, l'ex-ministre des Finances. Bien que celui-ci n'ait pas fait d'études universitaires, disait-il, c'est un homme de décision et d'action. Il est aussi connu pour bien s'occuper des gens dans l'embarras. L'image de ce politicien me rappelle maintenant Ken, plutôt que mon père. Kôji croit que monsieur Tanaka deviendra un jour notre premier ministre.

J'entends Satoshi dire à ma femme :

— Hier soir, je suis allé voir grand-mère avec ma mère.

Ma femme demande :

— Comment va-t-elle?

— Elle était au lit, éveillée. Ma mère lui parlait, mais grand-mère n'a pas réagi. J'étais assis dans le fauteuil et je me suis rendu compte que le *zakuro* que je lui avais apporté il y a quelques semaines avait disparu de sa table.

Ma femme se tait. Satoshi poursuit :

— Par curiosité, j'ai demandé à grand-mère : «As-tu mangé le *zakuro*?» Elle m'a répondu : «Non. Je l'ai donné à Banzô-*san.*» Ma mère m'a regardé, ébahie.

Ma femme demande à Satoshi :

— Qu'est-ce que tu as dit à grand-mère?

— Je lui ai dit : «Banzô-*san* est enfin revenu de Mandchourie! Tant mieux!» Elle m'a souri. Son visage était tellement paisible. J'étais si heureux pour elle.

Ma femme dit :

— Tu es gentil. Elle a de la chance d'avoir un petit-fils comme toi!

Satoshi continue à parler de sa grand-mère. Ma femme approuve en répétant : «Ah bon!», «Et alors?», «Oh! là! là!». Il parle aussi des histoires qui concernent les *zakuro*. Ces fruits, originaires des montagnes Zakros, en Iran, sont excellents pour la santé. Ma femme lui dit : «Mais non! Ils sont trop acides. Je n'aime pas en manger. Je ne prends que leurs fleurs rouges pour Ikebana. À propos, l'un des symboles de ces fleurs est la "sottise".» Satoshi dit : «Sottise? Comment ça?» Ma femme lui explique, je l’écoute de loin. En fait, j’ai laissé passer l’occasion de lui demander, lorsqu’elle m’en a parlé, pourquoi cette fleur évoque la sottise.

Selon la mythologie grecque, dit ma femme, Déméter, déesse de l’agriculture, s’est fait voler sa fille Perséphone par Hadès, le dieu des morts. Fâchée, Déméter a créé une grande famine. Zeus en a été troublé et il a ordonné à Hadès de renvoyer la fille à sa mère. Perséphone était très heureuse. Pourtant, avant de partir, elle a mangé le *zakuro*, ce fruit des enfers. Ainsi, elle est tombée dans le piège d’Hadès. À cause de ça, même après être retournée auprès de sa mère, elle devait demeurer la moitié de l’année en enfer… Satoshi dit : « Pauvre Perséphone ! Elle est innocente. » Ma femme dit : « Quand Perséphone retourne en enfer, c’est le commencement de l’hiver. »

Je murmure : « Sottise… » Je pense au sort des trois hommes : H., Ken et mon père, qui étaient presque arrivés au Japon après avoir passé deux ans en Sibérie. Qui était le plus sot parmi eux ? H., qui restait seul, isolé des autres, en sachant qu’il était haï par ses compatriotes ? Ken, qui l’a injurié si grossièrement que H. a voulu le tuer ? Ou bien mon père, qui a donné à H. un coup de poing, incité par Ken ?

Ma femme dit à Satoshi :

— Tu sais, le *zakuro* est appelé « grenade » en français, ce qui signifie aussi *ryûdan* en japonais.

— *Ryûdan ?*

— Oui. Grenade à main, grenade incendiaire, grenade fumigène... Ce sont des obus. Celles que les Américains ont utilisées pour détruire les villes japonaises étaient des grenades incendiaires.

— Vraiment? Alors grand-mère a raison. Elle a dit : « Le *zakuro* est explosif. Il faut veiller à ne pas le faire tomber. »

— Oh ! là ! là !

Je sens l'odeur de yakitori. Il semble que la préparation du dîner soit presque terminée. Il sera bientôt six heures, tout le monde arrivera dans quelques minutes. Satoshi dit :

— Regarde, il neige !

Ma femme dit :

— Perséphone a quitté la Terre !

Satoshi entre dans le salon, où je me repose. Il s'installe devant la table basse. De son sac, il sort son livre de géographie et un cahier. Il l'ouvre à la page des États-Unis et il commence son devoir. Sa tête est baissée. Je vois le grain de beauté sur sa nuque. Je lui demande :

— Veux-tu visiter un jour Los Angeles?

Il répond, l'air un peu étonné :

— Los Angeles? Je ne sais pas. Je n'ai jamais été là-bas. Pourquoi?

— Je compte y aller l'année prochaine ou dans deux ans. Là-bas, il y a quelqu'un que je voudrais voir.

— Qui est-ce?

— Une sorte d'ami…

— Comment s'appelle-t-il?

Je réponds avec hésitation :

— Il s'appelle Eiji Satô…

Satoshi me fixe des yeux et ouvre la bouche comme pour dire quelque chose. Cela me déconcerte. Soudain, il rit :

— Je pensais qu'il s'agissait de notre premier ministre Eisaku Satô!

Je cache mon embarras :

Cet homme est en train d'acheter un restaurant japonais à Los Angeles.

Ses yeux brillent :

— Un restaurant japonais? Bien sûr que je veux la visiter avec toi!

Je souris. Il replonge dans son devoir. Je regarde le jardin, où il est tombé quelques centimètres de neige. L'arbre du *zakuro* en est légèrement couvert. Je me demande si ma mère aussi regarde la neige par la fenêtre de sa chambre. Je ferme les yeux et je vois l'image de mes parents qui dansent, tout vêtus de blanc.

Glossaire

Akatonbo : libellule rouge, titre d'une chanson japonaise. De *aka* : rouge ; *tonbo* : libellule.

Chîzu : de l'anglais *cheese,* fromage.

Dokata : ouvrier des travaux publics qui creuse le sol ou transporte de la terre.

Genkan : entrée où on laisse les chaussures.

Hiragana : écriture syllabique japonaise.

I'll do my best : Je ferai de mon mieux.

Kanji : idéogramme chinois.

Kôcha : thé occidental.

Kôryan (morokoshi) : plante chinoise dont les grains sont comestibles.

Koseki : état civil fixant le domicile légal de la famille dont tous les membres portent le même nom.

Miaï : rencontre arrangée en vue d'un mariage.

Minshu-undô : mouvement politique relancé dans les camps de travaux forcés. Rééducation instituée par les officiers soviétiques pour endoctriner les soldats japonais. En conséquence, la hiérarchie de l'armée japonaise s'est effondrée et les soldats subalternes ont pris la tête de ce mouvement. Les militaristes et les antisoviétiques ont été violemment critiqués en public. De *minshu* : démocratique ; *undô* : mouvement.

Nigiri (nigirizushi) : variété de sushi, boulette de riz recouverte d'une tranche de poisson, de crustacé, d'œufs de poisson crus.

Nisei : émigré de la seconde génération.

Onigiri : boule de riz enveloppée dans une algue séchée.

Oshibori : petite serviette légèrement humide pour s'essuyer les mains avant de manger.

Ryûdan : grenade.

San : suffixe de politesse équivalant à monsieur, madame ou mademoiselle.

Tempura-udon : tempura servi sur un bol de nouilles.

Udon : nouille blanche faite de farine de blé.

Zabuton : coussin japonais utilisé pour s'asseoir sur les tatamis.

Zakuro : grenade, grenadier.

Zensho shimasu (suru) : prendre des mesures opportunes.

OUVRAGE RÉALISÉ
PAR LUC JACQUES, TYPOGRAPHE
ACHEVÉ D'IMPRIMER
EN AOÛT 2008
SUR LES PRESSES DES
IMPRIMERIES TRANSCONTINENTAL
POUR LE COMPTE DE
LEMÉAC ÉDITEUR, MONTRÉAL

DÉPÔT LÉGAL
1re ÉDITION : 3e TRIMESTRE 2008
(ÉD. 01 / IMP. 01)